총몽 GUNNM
완전판
Last Order
11

GUNNM Last Order NEW EDITION ⑪

© Yukito Kishiro 2011

All rights reserved.

First published in Japan in 2011 by Kodansha Ltd.

Korean translation rights arranged by Kodansha Ltd.

through Shinwon Agency Co.

총몽 GUNNM Last Order

완전판

기시로 유키토 만화
주원일 옮김

11

문학동네

OUTLINE

미래. 사이보그 등 인체개조기술이 발달해 인간의 목숨값이 한없이 낮아진 세계.
공중도시 자렘이 지상을 지배하고, 그 아래에는 자렘에서 토해낸 쓰레기 더미를
중심으로 고철마을이라 불리는 독자적인 사회가 형성되어 있다.

고철마을의 사이버네틱 의사 이도는, 쓰레기 더미 속에서 사이보그의 머리 잔해를
발견한다. 수백 년의 세월을 뛰어넘어 기적적으로 되살아난 소녀에게 갈리라는
이름을 지어준다.
기억은 잃었지만 갈리의 몸은 전설적인 격투술 판처 쿤스트(기갑술)를 기억하고 있었다.

이도와 함께, 헌터 워리어로 일하기 시작한 갈리는 수많은 만남과 이별을 겪으며
조금씩 성장해나간다.
그리고 어떤 사건을 계기로 광기의 과학자 노바를 추적하다가 자렘의 지배에 맞서
싸우게 된다.

친구 루를 구하고자 우주도시 에루로 향한 갈리는 친구를 구하기 위해,
고향을 지키기 위해 태양계 최대의 격투 토너먼트인 ZOTT에 참가하게 된다.
자지와 핑을 비롯한 많은 사람들과 만나고 이별하며 결승전까지 진출한
갈리와 스페이스 엔젤스는 토지, 젯카, 라칸과 같은 강자로 이루어진
우주공수연합군을 상대로 힘겨운 싸움을 하게 되는데…!

갈리(요코)
기억을 잃은 사이보
그 소녀. 전설적 무
술 판처 쿤스트(기갑
술)를 익히고 있다.

젝스
갈리의 레플리카로
만들어진 전투 안드
로이드.

자지
총화기전투의 프로.
화성의 여왕인 리메
이라의 명령으로 참
전했다.

토지
우주공수연합군의
중심인물.

젯카
우주공수도를 극한
까지 연마한 전설의
권호.

라칸
보충요원 선발경기
에서 승리한 살인공
수 사용자.

CONTENTS

우오오오

뜨겁게
달아오르는
ZOTT
결승전!!

승부가
났다고
생각
했지만…

우오

젯카의
발화
찌르기를
정통으로
맞아

Phase_094 궁지에 몰린 쥐!!

궁지에 몰린 쥐!!

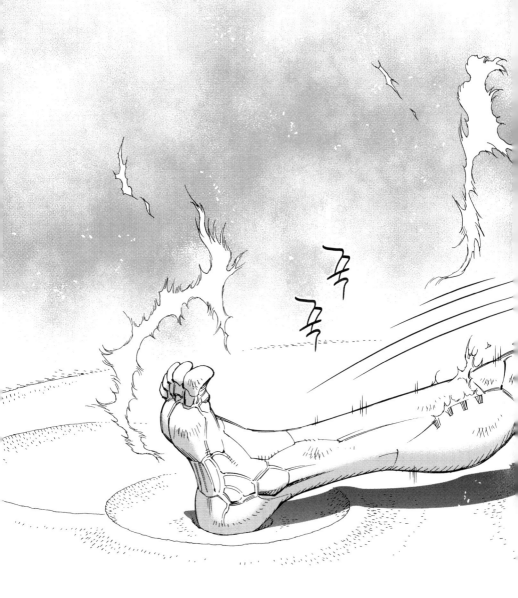

저건…
'상전이'*다!!

아저씨~
대체 무슨 일이
일어난 거죠?!

기계란 원래
레드존을 넘어서
혹사시키면
망가지기
마련이야.

그래.

상전이라면…
물이 끓어서
수증기로
변하거나
할 때의
그거요?!

그리고
젯카의 말에
힌트를 얻은
우리 애송이는
펀치의 에너지를 빌려
그 상태에
도달한 게야…!!

헌데 젯카는
피지로이 보다에
한계를 넘은
부하를 가하면
그 너머에 미지의
안정상태가
있다는 사실을
경험으로
알아냈지.

* 상전이(Phase transition) : 물질의 구조나 성질이 어느 상(안정된 상태)에서 다른 상으로 전이하는 일. 흔한 예로 물질의 상태(고체, 액체, 기체) 간에 이뤄지는 상전이가 있다.

즉
폴리틴
플라스마로
변해 있다.

지금 너석들의
체내에 흐르는
폴리틴 겔은
전리된
초음속 유체,

나의
아들들아!!

마음껏
싸우거라!!

무서워요
~!!

히이이,
이해가
안 가요~

이미
이론을
초월했어.

그럴 만도
하지…
제작자인
나도 이런
사용법은
생각하지
못했으니까
…

엔지니어로서
이보다
기쁜 일이
또 있을까…
이 늙은이는
이제 여한이
없구나!!

하지만
사용자가
제작자의
상상을
넘다니…

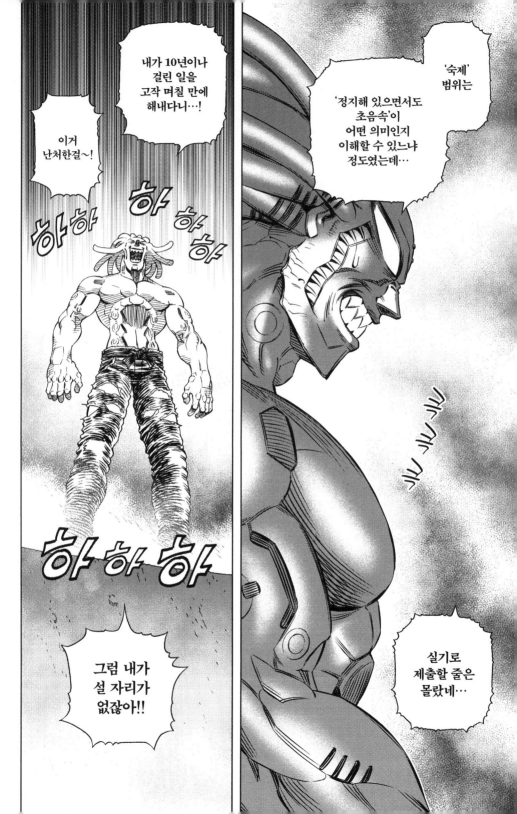

아무래도
젝스의
익스팬드 킥이
명중한 것
같습니다!!

어…
엄청납니다…
한순간
무슨 일이
일어났는지
이해를
못 했는데…

젝스는 그냥
생환한 게 아니라
몇 단계
파워 업한
모양이네요.

방어는
했지만
젯카는
반대쪽 벽에
처박혀버렸
습니다~!!

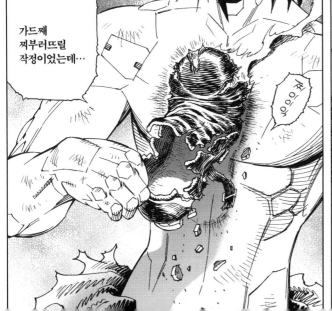

가드째
찌부러뜨릴
작정이었는데…

역시
대단해…

쳇…

그 순간에 똑같은 익스팬드 킥을 맞혀서 위력을 상쇄시킬 줄이야!!

연륜의 차이가 뭔지 알려주마!!

너는 이제야 간신히 나와 같은 자리에 섰을 뿐이야.

우쭐대지 마라!!

뚝

한편,
토지는
갈리의
맹공을
받고
있었다!!

?!

어… 어째서
갑자기
공격을
멈추지?!

삼전법은
절대로
풀지
않겠어!!

그런
수법에
당할 줄
알고!!

카운터를
노릴 생각
이구나.

그런가…
내가 초갑각
삼전법을 풀고
공격을
가하면

약점을
알아냈어.

네 배리어.

약점
따위는
없어!!

홋…
웃기는 소리!!
타라바 님께
전수받은
초갑각 삼전법은
절대방어다!!

오른쪽
인가!!

네 배리어는
고르지가
못해.

* 플라스마 교착 : 초전자공수 용어. 서로 전자방어를 쓰는 대전자끼리 플라스마를 사이에 끼고 밀어내는 상황. 물러서는 쪽이 플라스마를 뒤집어쓰기 때문에 양쪽 다 힘이 다할 때까지 힘겨루기를 멈추지 못하는 교착 상태가 된다. 구미테(공수도의 스파링 매치)에서 최악의 가타(形)로 취급된다.

그리고
그 궁지에
몰린
쥐와 같은
본능이

100분의
수초라는
짧은 시간에

초일류의
달인만이
가능한
움직임을
선택했다!!

과거도 미래도 없이,
이름도 잊고
그저 살고 싶다는
강력한 본능의
덩어리가 되어버린
그것은

그야말로
궁지에
몰린 쥐!!

아니, 저건 소용돌이… 그것도 플라스마가 만들어내는 거대한 소용돌이 입니다!!

뭐죠?! 갑자기 불기둥이…

쿡… 이런 방법으로 플라스마 솔리톤을 깰 줄이야…!!

엄청난 자력풍이야…! 음속을 넘었어…!!

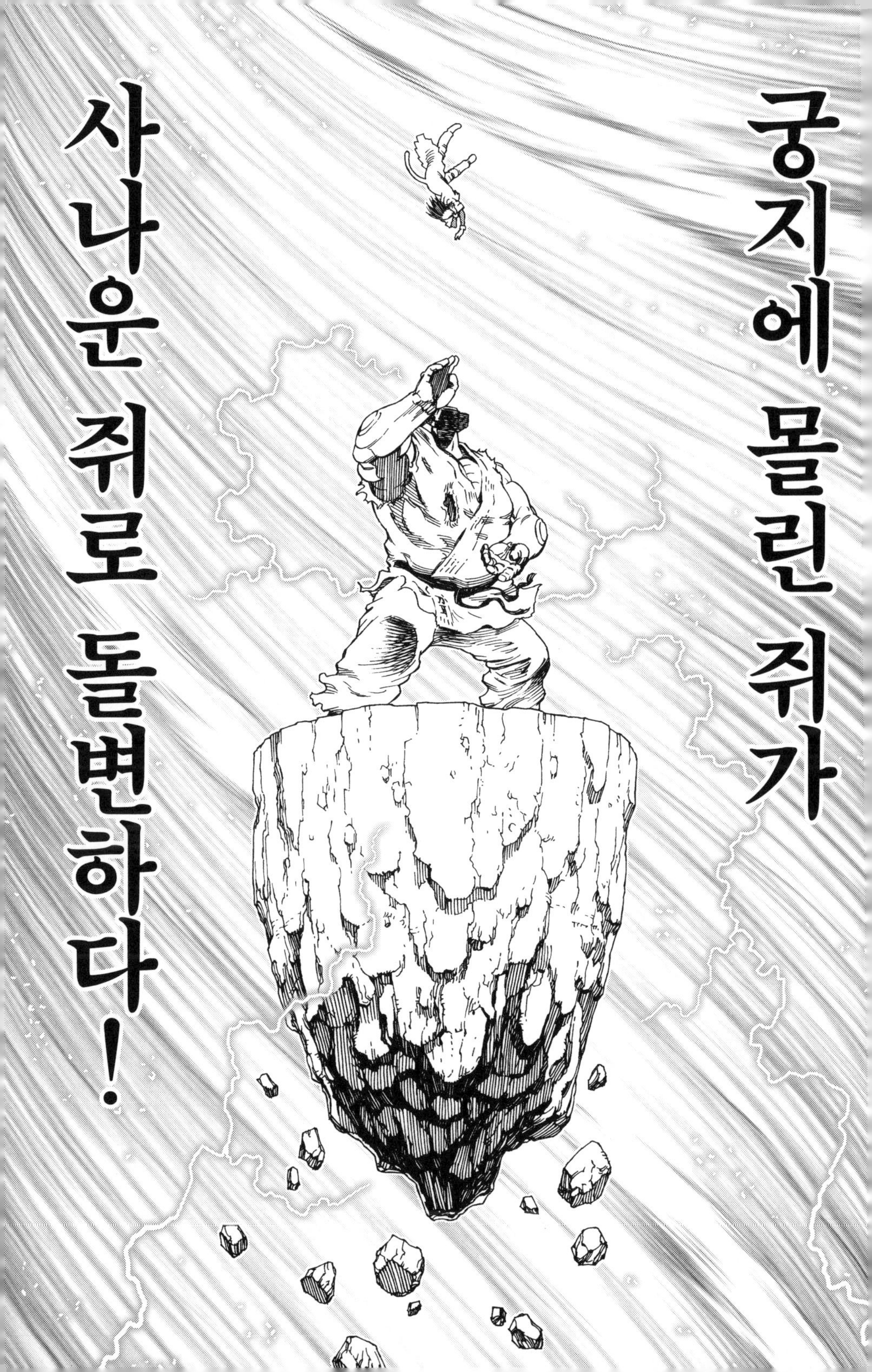
궁지에 몰린 쥐가
사나운 쥐로 돌변하다!

훗날 초전자공수의
역사에서

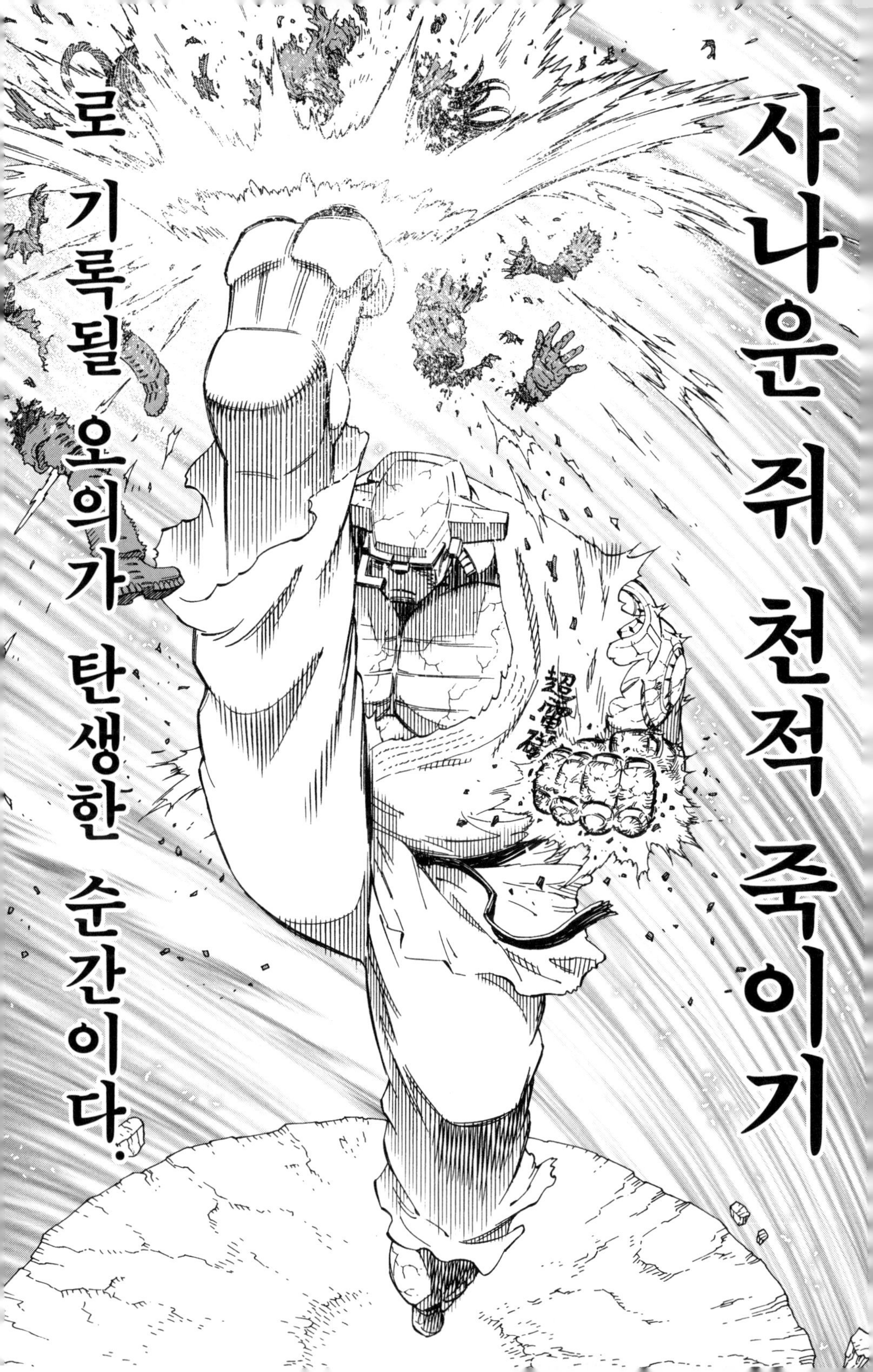
사나운 쥐 천적 죽이기
로 기록될 오의가 탄생한 순간이다.

머리보다도 빠르게

탈출이
불가능한
플라스마
소용돌이!!

내부 기압은
순식간에
진공에 가까운
수준까지
떨어지고
복사열은
300도를
돌파했다!!

평범한
인간의 몸이라면
즉사할 극한의
환경인데도
갈리의 몸은
머리보다도
빠르게

임전태세를
갖추었다.

사냥감이
예상치 못한
반격을 해도
갈리의 자신감에는
흔들림이 없었다!!

Phase_095
머리보다도 빠르게

플라스마
소용돌이는
거대한
레일건의
포신으로
변하고

토지는
자신의 몸을
포탄으로 만들어
가속 상승했다!!

플라스마를
박차고 대시!

갈리의 눈은
토지의
양손찌르기가
완성되기 직전의
빈틈을
분명하게
포착했다!

다음 순간에
갈리의 의식은
직전 상황으로 돌아가
그것을 외부에서
보고 있었다.

회피도
제때
실행하지
못했다!!

블레이드를
뻗는
타이밍이
늦었다!

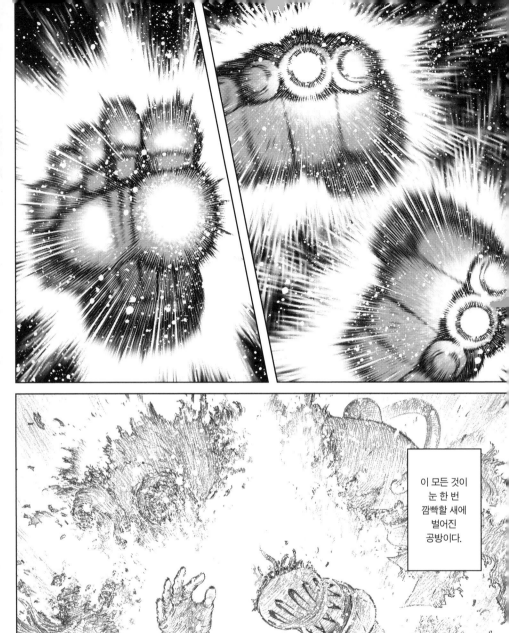

이 모든 것이
눈 한 번
깜빡할 새에
벌어진
공방이다.

역사에
남은 것은
갈리의
극한 카운터가
아니라

토지의
사나운 쥐
천적
죽이기였다!!

콰 콰 콰 콰

플라스마
소용돌이가
천장 조명
일부를
파괴!!

쿠웅

우왓,
위험해라
~!!

다들 너무
막 나가는데에~

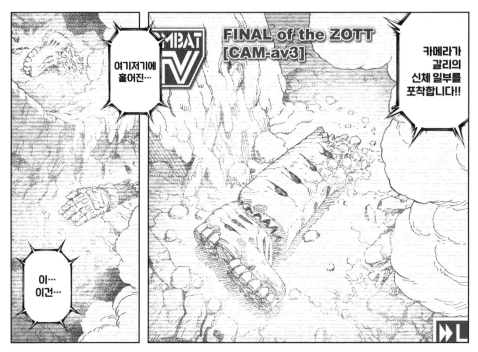

FINAL of the ZOTT
[CAM-av3]

여기저기에 흩어진…

카메라가 갈리의 신체 일부를 포착합니다!!

이… 이건…

NOOO SPACE

우리 갈리가~

으헝헝~

갈리가 패배! 죽은 걸까요~?!

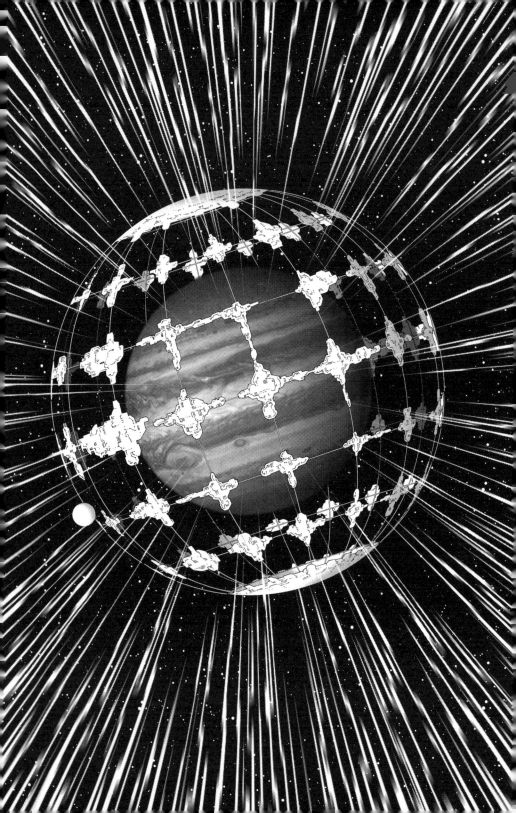

한정시공간
프래그멘테이션
(Fragmentation)
발생 확인!!

이것들은?

뭐지…

'부하노프 효과'
발현 성공!!

사건수축률
재안정!

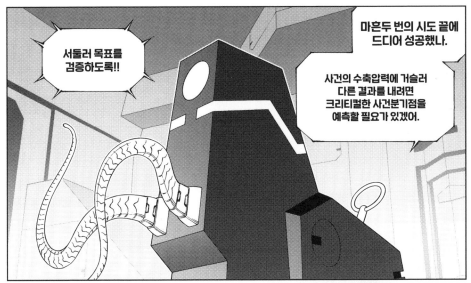

서둘러 목표를 검증하도록!!

마흔두 번의 시도 끝에 드디어 성공했나.

사건의 수축압력에 거슬러 다른 결과를 내리려면 크리티컬한 사건분기점을 예측할 필요가 있겠어.

궤도 다이나모에 에너지 입력 확인!

목표의 흉부 주변은 약 40%의 운동 에너지가 웜홀에 의해 흡수된 것으로 보입니다!!

목표 추정파괴율 68%!

'코시카'는 한줌에 불과한 잔해에서도 자신을 재구성한 전력이 있다.

이번에도 플라나리아*처럼 재생할지 몰라!!

파괴율 68%… 미묘한 수치군.

* 플라나리아(Planaria) : 이과 실험으로 친숙한 몸길이 1~2cm의 편형동물. 깨끗한 물속의 돌멩이 뒤쪽과 같은 곳에 서식한다. 엄청난 재생능력으로 유명하다.

'코시카'의 의식이 웜홀을 매개로 이쪽으로 전이하고 있다는 건가?!

빔이 닿은 위치에서 블레이드가… 이것은 궤도 다이나모를 침식한 NM공격과 동일합니다!!

끄약

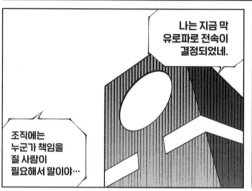

나는 지금 막 유로파로 전속이 결정되었네.

조직에는 누군가 책임을 질 사람이 필요해서 말이야…

네엡?!

포템킨 군! 갑작스럽지만 자네를 ZOTT 대책실의 치프로 임명한다!!

지지징

위─잉

그럼 뒷일을 잘 부탁한다!!

자, 자, 잠까안…

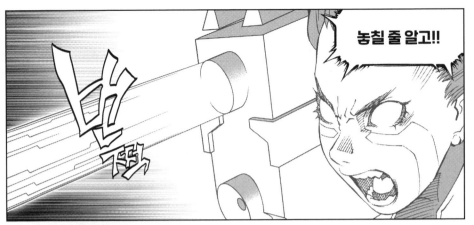

놓칠 줄 알고!!

유리 고양이
'코시카 스테클로'
무서운 녀석…

꽤앙

으가악!

혼자만의 힘으로
우리 목성계연방에
이 정도의
손해를 끼친 자는
네가 처음일 거다…

너 같은 괴물이 대체
왜 생겨났지…?!

목성 따윈
알 바 아냐!!

나를 건드리지
말란 말이다!!

너는 알 바 아닐지 몰라도
우리는 그렇지 않아.

위
—
잉

네 몸속에 있는 웜홀은
연방의 군사기밀이자
영토라고도 할 수 있지…
너는 그것을
침략했단 말이다!!

그건 바로…
'죽을 때는 다 같이'!!

후후후… 나는
소년시절부터

이런 순간에 쏠
대사를
정해놓고 있었지!

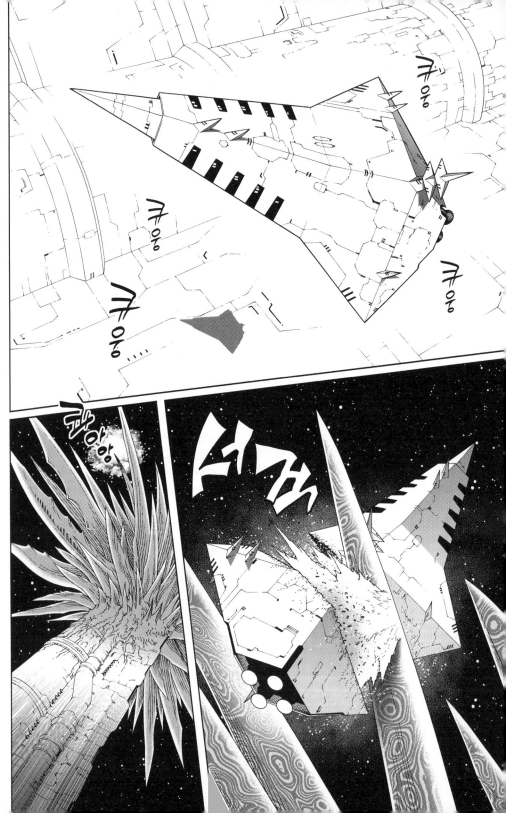

나의 이름은 목성 양자 수축 관측기

Phase_096 **우주의 천사**

전 우주가
주목하는
ZOTT
결승전!!

우주의 천사

갈리의 몸이
산산조각나고
말았습니다
~~!!

토지가
뿜어낸
거대한
플라스마
소용돌이에

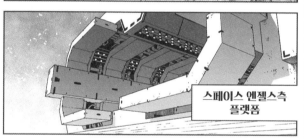

스페이스 엔젤스측
플랫폼

100호나
루 님의 뇌는
어떻게 되어
버리는 거냐쮸~?!

아.으.으...
주... 주인님이
죽어
버렸다면

데크맨 100호

처음에 완전히 토지를 가지고 놀던 갈리를 상대로 초갑각 삼전법으로 방어…!

하… 하지만 이번 공방은 정말 보기를 잘했어요.

해설: 헤지오어 호퍼

그리고 그걸 다시 플라스마 소용돌이로 반격한다는!!

그야말로 우주시대의 정점이라는 표현이 아깝지 않은 초절정 테크닉의 배틀이었습니다!!

그것을 플라스마 큐폴라로 공략…!!

그의
마음속에선
여전히
갈리와의 사투가
계속되고
있는 걸까요?!

우주공수연합군 :
토지

아니면…
아직 뭔가가
남았다는
뜻일까요?!

그러다 앗 하는 사이에 뒈지는 수가 있어!!

스페이스 엔젤스 :
젝스

네 '이거' 잖아.

그 꼬맹이 말이야.

내 여자?

네 여자가 죽어버렸는 데도 말야.

아주 힘이 넘치시 는데.

개소리야!!

이게뭔

휴우아이이잉

......

헤헷,
걱정
안 하거든.

아니
었나?

사이
좋아
보이던데.

눈깔은
폼으로 달고
다니냐~!!

갈리는
돌아온다!!

더
재수없는
자식이
되어서!!

불사신
까지는
아니지만

워낙에
성격이
개차반인
녀석이라서
말야~

한참
뜸을
들이다가

내기해도
돼…

중요한 때에
기어나와서
좋은 건
다 차지해
버리지.

히히히!!

동료가
죽었는데도
집중력이 조금도
흐트러지지
않다니 역시
대단하네에~

우주공수연합군 :
라칸

하지만
슬슬 탄환이
바닥날 때
아닌가아~?

나는
맡은 역할을
수행할 뿐이다.

승패는
알 바 아냐.

갈리 덕분에
건진 이 목숨…

스페이스 엔젤스 :
자지

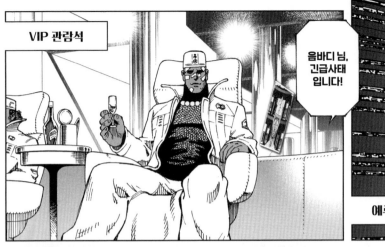

VIP 관람석

음바디 님, 긴급사태 입니다!

에루 중앙타워

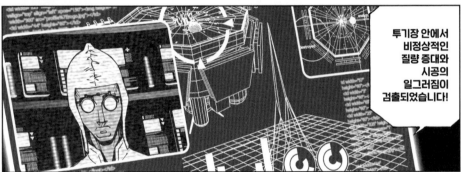

투기장 안에서 비정상적인 질량 증대와 시공의 일그러짐이 검출되었습니다!

목성 감시영상을 띄워봐!

설마… 갈리의 체내에 있는 웜홀 노심이 아직 활동을 …?!

LADDER의장보좌 : 아가 음바디

090

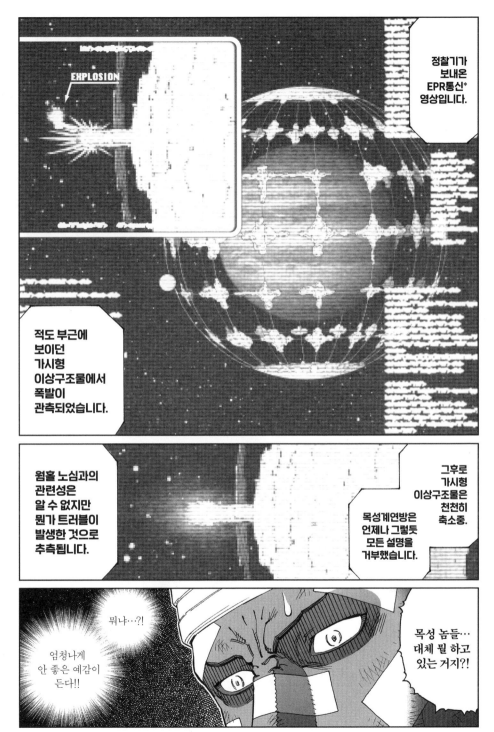

정찰기가
보내온
EPR통신*
영상입니다.

EXPLOSION

적도 부근에
보이던
가시형
이상구조물에서
폭발이
관측되었습니다.

웜홀 노심과의
관련성은
알 수 없지만
뭔가 트러블이
발생한 것으로
추측됩니다.

그후로
가시형
이상구조물은
천천히
축소중.

목성계연방은
언제나 그렇듯
모든 설명을
거부했습니다.

뭐냐…?!

엄청나게
안 좋은 예감이
든다!!

목성 놈들…
대체 뭘 하고
있는 거지?!

• EPR통신 : 양자 얽힘 효과를 이용한 초광속 통신기술. EPR은 아인슈타인, 포돌스키, 로젠의 사고실험에서 따왔다.

'다모클레스의 검'을
지금 여기서
사용해야 하나?!

안 돼!!

우왓,
왜, 왜
그러나?!

잔해 더미
에서
방전이
일어납니다
만…?!

내일
'다모클레스의 검'을
쓰면 대참사가
벌어질 게야.

'다모클레스의
검'을 썼다간
어떤 반작용이
일어날지
예측할 수
없어.

웜홀 노심의
효과를
확실히
알지 못하는
이 상황에서

어제
아서의 예언을
들었을 때는
황당무계하다고
생각했지만…

참사를
피하는 것도
가능할 거야.

하지만 놈은
'가능성은
분기되어 있다'
라고 했으니

마지막 수단은
그후에 써도
늦지 않아.

일단
상황을
지켜보자
…!!

이건 마치 전기로… 아니.

핵융합… 별이 탄생하는 모습 같군!!

중심부에서 원소 변환과 구조화가 관측됐습니다!

설마…

재생 한다고?!

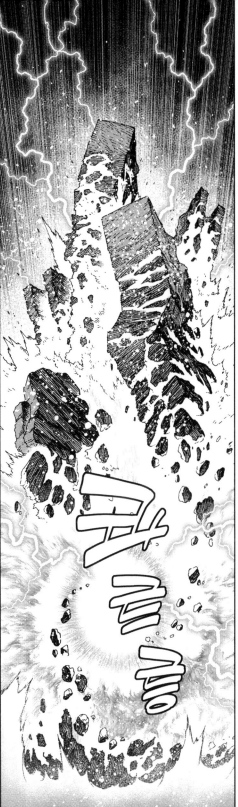

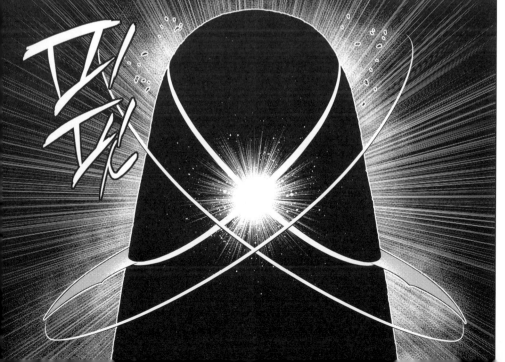

스페이스 엔젤스 : 갈리

나는 여기에
존재하고 있어.

그게
내 답이다!!

내 싸움을
없었던 것으로
만들지는
않겠어.

LIVE
FINAL of the ZOTT
[CAM-CV-1]

고철마을 :
ZOTT 중계회장

지면 안 돼~!!
갈리 언니!!

고요미

차베스

갈리…!!

케이어스

벡터

Phase_097 탈옥을 꿈꾼 죄수

탈옥을 꿈꾼 죄수

공중도시
자렘

예쁘다아
…

갈리 씨.

노라 라파르그

팜 마한

교수…
저게 대체 뭐지?
무슨 일이
일어난 거야?

꺄
아
아

저 아이가 뭔가 다른 존재로 변해가는 느낌이 들어서… 나는 걱정부터 되는군.

전에 부활했을 때는 꼬리, 이번에는 날개… 확실히 모습은 아름답지만

마지 마한

내가 설계한 이매지노스 보디는 사용자의 의식에 반응해서 구조나 형상을 변화시킵니다.

달각

캬핫. 푸딩은 희망!!

처리할 수 있는 정보와 에너지의 양이 초기와 비교조차 할 수 없을 정도예요!!

해부해보지 않았으니 정확한 사항은 알 수 없지만

정보를 종합해보면 지금 갈리의 보디는 이매지노스 2.1 정도로 표현할 수 있겠군요!

노바·X(텐)

나는 그렇게 해석하고 있어요.

그리고 날개는 한계를 초월하려는 강한 의지의 발현!!

그녀의 꼬리는 본능적인 생명력과 감성의 발현!

우리는 모두 육체라는 철창에 갇혀 있는 죄수입니다.

저게 갈리의 마음을 형상화한 것이라고…?

그리고 나는 탈옥을 꿈꾼 죄수…

갈리라는 샘플은 우리 죄수에게 희망의 별인지도 모릅니다.

정신의 자유로운 해방이라는 테마에 필사적으로 매달려 왔지요.

점점 더 정밀하게 자신의 본질에 다가가고 있다…!!

갈리는 잠재의식의 어둠에 잠식되지 않고 스스로를 컨트롤해가며

나는 그렇게 '추측'하고 있답니다!!

……고

저런 걸로 저 아이는 행복할까?

하지만…

나야 과학도 모르고 전사의 길이란 것도 모르니까.

난해하군.

결국
결단하고
말았군…

상쾌한
기분이야.

개운해.

그렇게나
경고했는데…

이미
네가 돌아갈
장소는
사라졌어!!

강한 척
하지 마.

누가 보기에도
반자연적인
존재로서
살아가는
기분은 어떻지?

페인 대령

113

다가오는 자는 전부 네 힘을 두려워해 짓밟으려는 적 아니면 이용하려 드는 교활한 자들뿐.

너를 사랑하던 자들도 사라졌지.

너는 묘비처럼 고독하다!!

믿을 만한 이는 어디에도 없어.

그렇다면…

호오.

혼자인 거야 익숙하니까.

아무렇지 않아.

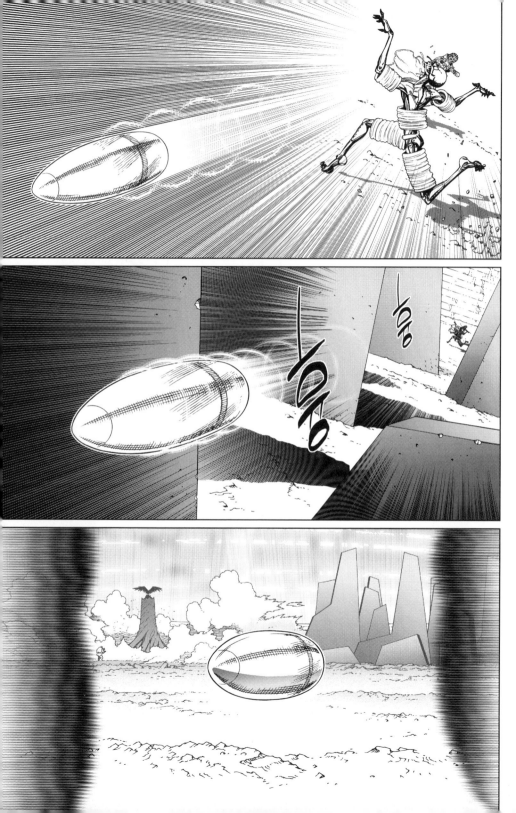

모두가 인정하는
최강 클래스의
무술가이면서도
마음만은 여전히
골목대장 어린애인
복잡하고
변덕스러운 남자!!

허나
내가 아는
젯카의
무서움은
이 정도가
아니야!

저놈은
고류 공수도를
극한까지 단련하고
100년 넘게
실전 경험을
쌓아…

젯카의
피지로이 보디에
존재하는 약점을
내가 알려주었을 텐데…
어째서 그곳을
노리지 않느냐?!

젝스…

우랴아아아아!!
카운터?
해볼 수 있으면
한번 해봐!!

그렇군…

젊다는 건
좋구나~!!

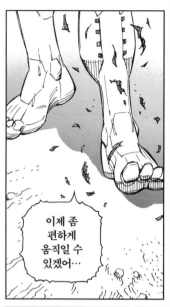

이제 좀
편하게
움직일 수
있겠어…

좋아…

하지만
이제 됐다.

신발 벗은 김에
잠깐 장단을
맞춰봤는데…

아, 별건 아니고~
상전이한
최신 피지로이
보디의 수준이
궁금해서…

덤벼…
내 공수도를
보여주마.

어이,
뭐하고
있냐?

이제
됐다니?!

이제
됐다고?!

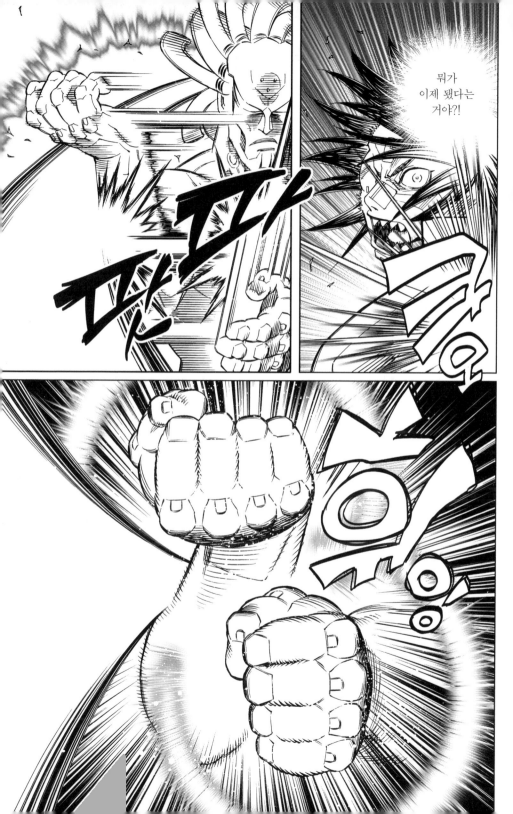

드디어
젯카가
진심으로
죽일 마음을
먹은 모양
입니다!!

부부수*
...

아앗~!!
카운터로
더블 펀치가
꽂힙니다아!!

* 부부수(夫婦手) : 좌우의 손을 연동해서 사용하는 고식 공수의 기법 혹은 자세.

우랴앗!

그건 안 돼.
강한 충격을 주면
오히려 경화되도록
만들어져 있거든.

그걸
두들겨
패면
되나?!

녀석의
피지로이 보디
표면에
잔뜩 있는
정비용 볼트.

전투 도중에
그게 되겠냐
~~~!!

↑→↓←↑↓
→↑↓←↓↓
↑↓↓↑↓↑
이렇게
눌러야
하지.

삶은계란 껍질을
벗기듯
적당한 압력으로

나는
그 메커니즘을
풀었다!!

베일에 싸인
젯카의 필살기
'도롱파골'…

허둥대지 마라.
이제부터
설명할 테니…

'도롱파골'은 아마 이 반물질을 주먹에 담아 뻗는 기술!!

녀석은 체내 순환경로를 바꿔 하복부에 원환상의 경로로… 알기 쉽게 표현하자면 소형 입자가속기를 내장하고 있지.

여기서 소립자를 충돌시키면서 오랜 시간을 들여 반물질*을 생성하고 있는 게야.

'공격하면 반드시 오버킬' 이라는 건 과장이 아니야.

뭐… 뭔 말인지 하나도 모르겠네.

여긴 원래의 설계 의도를 벗어나 무리해서 섬세한 밸런스를 유지하고 있거든.

그러니 이 입자가속기… '단전 노심' 을 노려라.

일단 쓰면 쌍소멸에 의해 대전 상대는 물론이고

이 예루 전체를 사라지게 만들 테니까!!

• 반물질(Anti-matter) : 일반적으로 존재하는 '물질'과 비교하면 양자수의 부호가 반대인 반입자로 이루어진 물질. 물질과 반물질이 접촉하면 대폭발을 일으키고 질량은 전부 에너지로 바뀐다. 이 반응을 '쌍소멸'이라고 한다.

화성 :
왕국의회파 캠프

F××k!!
갈리 따위는
관심
없다니까!

GG

초등학생
같은
녀석들…

물건 좀
살살
다뤄!

대장님을
보여줘,
우리
대장님을!!

카나리

류벤

우왓?!

Phase_098 **해방되었다아~!!**

해방되었다아~!!

다른
스페이스 엔젤스
멤버들도
공세에 나섭니다~!!

갈리의
부활에
힘을
얻었는지

게다가
외도륜은
무거운 게
문제거덩!!

내 몸에 달린
외도륜을
봉쇄한 정도로
우쭐해지면
곤란하지잉~!!

?!

효오~

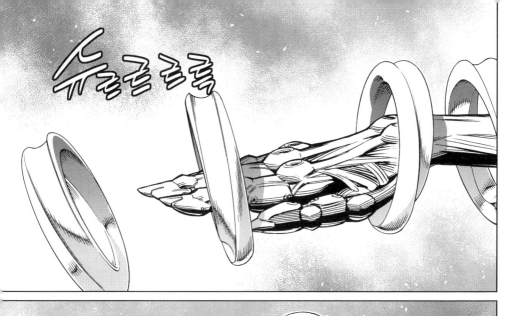

충격파로 산탄의
운동 에너지를
상쇄한 거야.

아니야.

엉덩이로
산탄을
정지시켰
다고?!

Ass hole～!!
이게 변태놈의
진짜 실력이라
이거군!!

COMBAT
CTV

FINAL of the ZOTT
[CAM-CV5]

체간부의
미세한 움직임으로
충격파를
만들어내다니…
보통 녀석이
아니야!!

확실히

그렇
지만
…

라이플탄은
충격파로
받아낼 수
없을 거다!

장기자랑
에서나
쓸 기술
이군.

철갑관
오의

공기
방패!!

143

손끝으로
탄환을
전부
튕겨내다니?!

말도
안 돼...

외도류 같은
기믹에
의존하지
않아도
충분히
강한데!

오히려
외도류의 무게를
덜어낸 덕분에
진짜 실력이
나왔다고
봐야겠지.

베이퍼 콘*을
발생시키면서
날고 있어.

카나리,
넌 고속기동전의
전문가잖아?!
어떻게 생각해?!

* 베이퍼 콘(Vapor-cone) : 비행기 등이 음속에 가까운 속도로
저공비행할 때 기체 주위에 발생하는 구름.

마찰계수의
저하 등에
얽매이기
마련이야.

탄속의
세계에서는
공기저항과
관성의 증대,

저런 변태랑
같은 취급을
받다니
마음이
아파…

지금이
풀죽어
있을 때냐!

궤도를 보고도
못 피하는
총알이 나오기
마련이거든.

보통은
이미지대로
움직이지
못하니까

예전에
자지 대장과
모의전을
한 적이 있는데…

동작
하나하나에
괴팍한
특징이 있어서
합리적이지는
않지만

이 자식의
움직임은
정석을
무시하고
있어.

오히려
그 때문에
움직임을
예측할 수가
없지!!

눈 깜짝할
사이에
당해
버렸어…

대장님을
이기려 들다니
건방진 녀석!

저걸
보렴…
쇼…

소행성 세레스 :
슬럼가

네
아빠야…

아아…
정말로
즐거워
보이는구나.

아버지는
이미
돌아가셨
어요.

그만
해요,
어머니.

徹甲館空手演武
Demonstration of KARATE

우리 아빠는 우주에서 제일 센 공수도가야~

아빠는 어떤 총알에도 안 맞아.

총을 든 갱도 맨손으로 해치울 수 있어!!

이걸로!!

그럼 한번 증명해 보시지!

그런 건 다 사기야!!

아니거든!!

쇼, 여긴 웬일이니?

도장은 위험하니까 들어오면 안 된단다.

아… 아빠.

?!

아빠한테 줄 선물이… 있어.

그러니? 정말 기쁘구나.

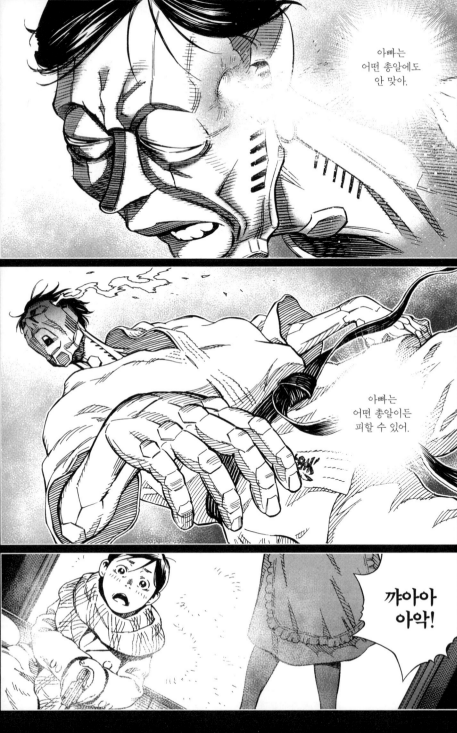

인지행동이나 성격에 후유증이 남을지도 모르겠어요.

하지만 총알 파편이 남편분의 대뇌 전두엽* 일부를 파괴해서 말입니다.

일단 위험한 고비는 넘겼습니다.

이런 일이 생겼으니 도장은 문을 닫는 수밖에 없겠지.

자업자득 이야.

총알 피하기를 간판으로 내세우던 공수도가가 아들이 쏜 총에 맞다니.

좀더 덜어내서 가벼워져야 해!

나한테 얼굴가죽 같은 건 아무 쓸모 없어~!!

여보! 참아요, 제발!!

徹甲館空手

* 대뇌 전두엽 : 대뇌 앞부분을 점하는 영역. 사회적 행동이나 의지력, 성적 행동의 제어 등에 관여한다. 전두엽 파괴로 성격이 변한 실제 사례로, 1848년에 철도건설 현장에서 폭발사고로 쇠막대기 머리를 관통한 피니어스 게이지가 유명하다.

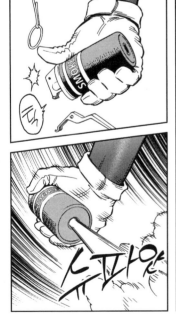

마지막
탄창…!!

저게
사람이야
쿠키 커터
야?!

이대로는
…

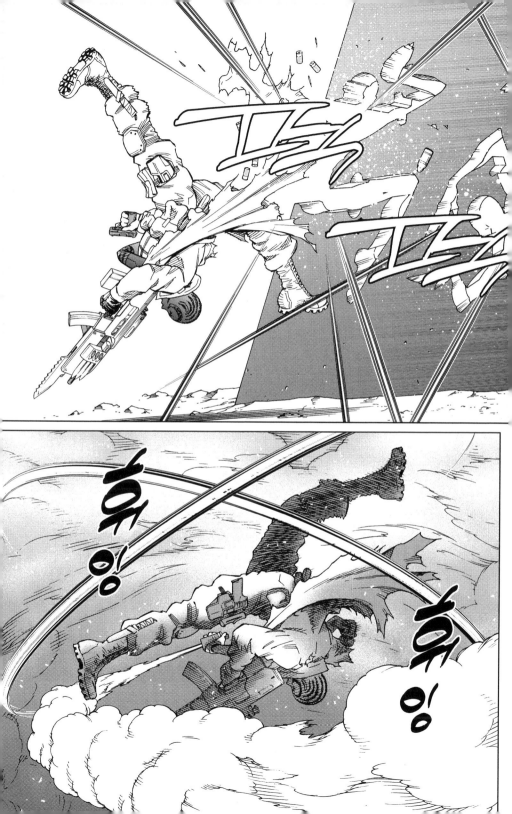

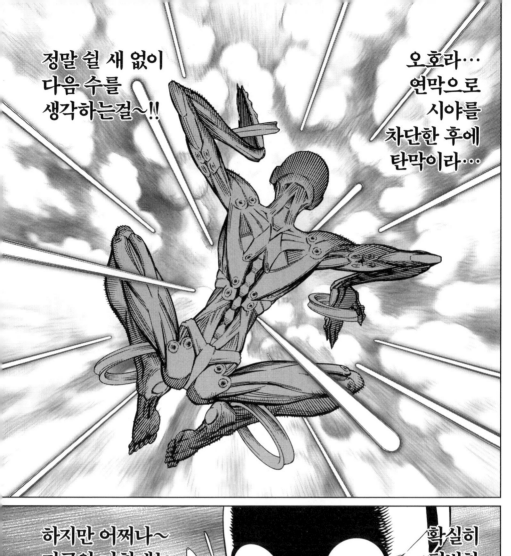

Phase_099 나이스 바보

이미 자렘에서 너와 만났을 때부터.

언제부터?

···뭐, 그야 퉁구스카의 몸을 가로채서 부활할 때부터 어렴풋이 눈치채고는 있었지만···

그··· 그래애···

···그런 생각을 해서 미안했다.

표절 로봇이라든가, 불량 복제품이라든가, 무용지물이라든가, 입만 살았다든가, 유치한 어린애라든가, 멍텅구리 로봇이라든가, 멍청이라든가, 얼간이라든가, 닝마주이라든가···

이제까지 미안했다.

아~ 말하고 나니까 개운해졌어!!

인마! 사과하는 거야 싸우자는 거야?!

확실히 말해줬어야 하는데.

거시기도 담력도 번데기만하다!! ···라고.

제대로 목소리를 내서 말하지 않은 게 제일 문제였어···

약속은
기억하고
있겠지?!

갈리!

근데
나랑 똑같은
두뇌칩이라고…?!
어째서 이렇게
다른 거지?!

자기만 아는
종잡을 수 없는
성격…
이건 어떻게
생각해도
갈리
본인이잖아!!

잊고
있었어.

…아아,

그게 아니라!!
ZOTT가
끝나면
나랑 승부를
내기로
했잖아!!

붕어빵
말이냐?

결승에서
둘 다 살아남으면
생각해볼게!!

끈질기긴…

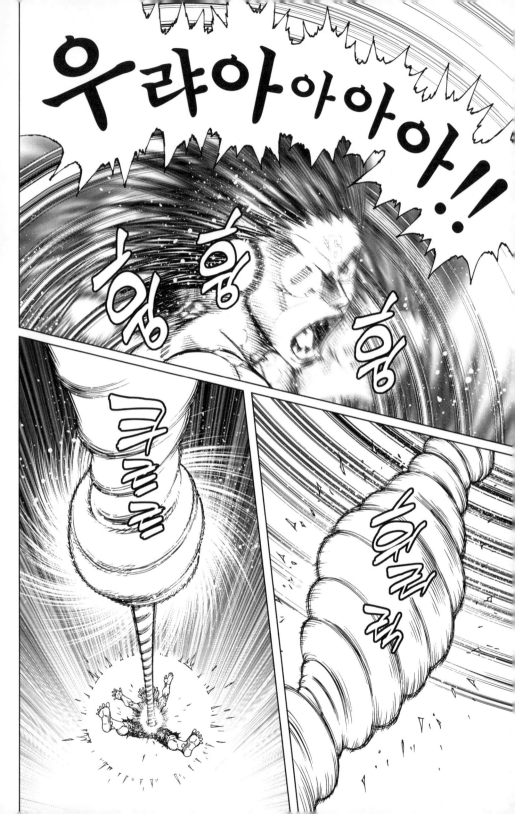

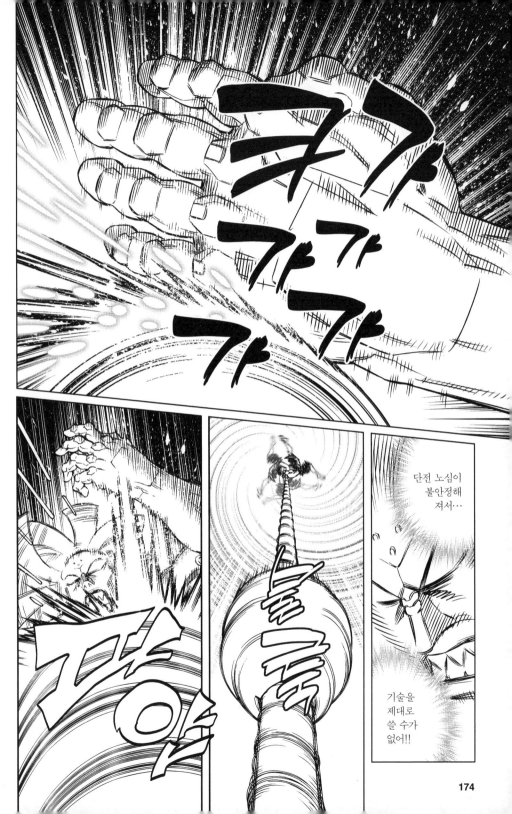

완벽하게
들어갔어!!

저 젯카를
상대로…!!

대체
어쩔 게?

사아

선장 쿠 창

니츠

젝스 군…
정말로
강한 사람
이네요!!

궁지에
몰려도 절대
포기하지
않는다…!!

대단한
녀석인걸.

내 전사경*을
즉석에서
자기 것으로
만들다니…

지구-화성 간 건트롤

*전사경(纏絲勁) : 중국무술에서 힘을 조작하는 기법 중 하나.
비틀거나 회전하는 방식으로 힘을 집중시키거나 흘려 보낸다.

폭축
나사
펀치!!

줄여서.

개방 폭축
두 배 카운터
익스팬드
나사 펀치.

…너무
기네.

젝스!
약관 2세의
나이로 100년의
권호를 꺾고
승리를 손에
넣었습니다~!!

건곤일척…
그리고
설마했던
대역전!!

쌍소멸이
일어나면
도로아미타물*
이라고!!

단전 노심을
직접 때릴
줄이야…

하… 하지만
심장이
쪼그라드는
기분이었어.

이…
이 녀석,
해냈구나
!!

우리는
그 전설의
종언을
목격하고
있는 걸까요~?!

라이벌 돈파가
자취를
감춘 후로
최강이라는
칭호에 누구도
토를 달 수
없었던 남자.

교오오오…

그야~
젝스는
단전 노심을
때리는
척하면서
다른 곳을
때리라는

복잡한
작전 같은 건
기억
못 하니까요~

역시
무리였구나.

* 도로아미타물(物) : 우주불교 유물종의 사상에선 로봇에도 불
성이 있다고 설파한다. 거기서 생겨난 표현.

나도 꽤 출세한 것 같은데!!

빌어먹을 애송이에서 빌어먹을 놈… 이 되었나.

헛소리 ~!!

움직여!

움직 이라고!

이 근성 없는 썩어빠진 다리가~

자기복구기능이 작동한 후에 180초만 기다리면 움직일 수 있게 된다.

긴급시에 대비한 신경 브레이커가 작동한 게야.

자기 다리에 윽박질러도 소용없다…

그러면 저 녀석은 손끝 하나 못 움직이게 된다!!

지금이다, 애송이!!

그러고 나면 우리가 노심을 완전히 처리하마!!

젯카의 목 뒤에 있는 볼트를 언록하거라!!

이 모든 게 네 자만심이 일으킨 결과야…

패배를 인정해라, 젯카!!

이 망할… 영감탱이가…

엔지니어로서 그런 무의미한 죽음은 결코 못 본 척 할 수 없다!!

네가 라이벌에게 의리를 지키기 위해 절대로 도롱파골을 쓰지 않으리란 건 알고 있었다.

허나 반물질을 방출하지 않으면 단전 노심은 반년 이내에 멜트다운을 일으키고 너는 죽을 게야!!

개똥보다도 못하단 말이다!!

다시 말하마!!

그런 죽음은 로망도 뭣도 아니야!

넌 쯧

영감! 조금만 기다리면 젯카가 회복한다는 게 사실이야?

이눔아, 뭘 하는 게냐!! 빨리…

콰아아 아앙

하여간 영감은 종알종알 말이 많은 게 문제야.

후들 후들

183

운이 좋았다느니 보디가 신형이라느니, 그런 소리나 하겠지?!

역시 그렇게 생각하겠지?!

폭축 나사 펀치 한 방으로 끝낸다면 **내 기분이 풀리지 않는단 말이다!!**

하지만 그딴 소리를 들으면 열받지 않겠냐고.

이만큼 처맞고 온갖 개무시를 당했는데…

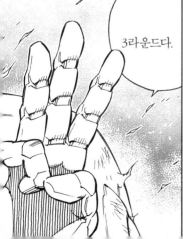

3라운드다.

그럼 어째서 내가 못 움직이는 동안에 끝을 내지 않는 거냐?!

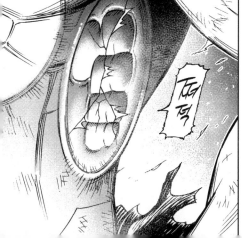
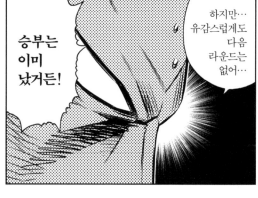

아마 표면이
고열로
유리화된 후에
냉각·응결을 거쳐
손바다이트로
변한 것
같습니다!!

저건
가장 먼저
젯카의
발화
찌르기를
맞은 부위
입니다…!

갑자기
젝스의
옆구리에서
폭발이!!

아닛?!

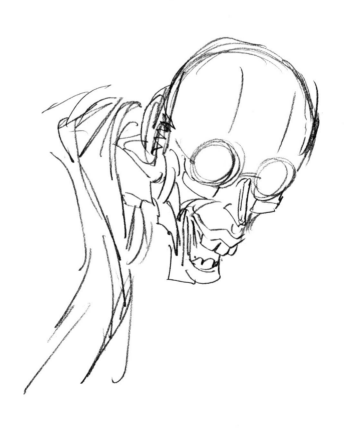

Phase_100 변태, 그것은

혹시
탄약이
바닥났나
…?!

연사가
멈췄어…

뭐…
뭐야.

드디어
최종 국면
이다!!

자신을
미끼로
함정에
끌어들일
생각이군.

대장님한테
뭔가
생각이
있을 거야.

애초에 너무
터무니없잖아?!
잔탄이
아슬아슬한
상황에서
탄막이라니!!

리볼버
장탄 5×2.

25mm
그러네이드
잔탄 3.

10mm
자동권총,
라이플,
산탄,
수류탄,
지뢰…

체공형
스마트 신관
미사일 3.

전부
잔탄 제로.

• 폭파 케이블 : 원래는 벽에 구멍을 내는 용도 등으로 사용하는 공작용 폭약. 부드러운 튜브 속에 플라스틱 장약과 단면이 L자 형태인 금속 라이너가 들어 있어 폭발 에너지가 선상으로 집중되는 지향성 폭탄의 일종이다.

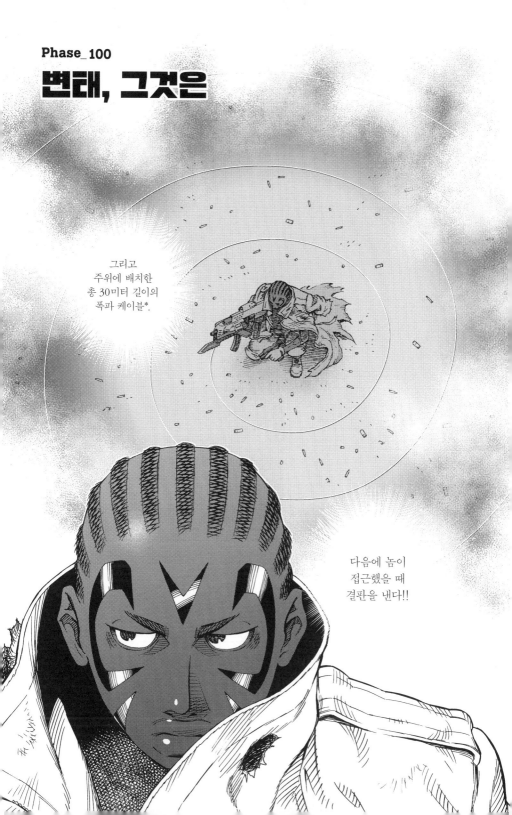

Phase_100

변태, 그것은

그리고
주위에 배치한
총 30미터 길이의
폭파 케이블*.

다음에 놈이
접근했을 때
결판을 낸다!!

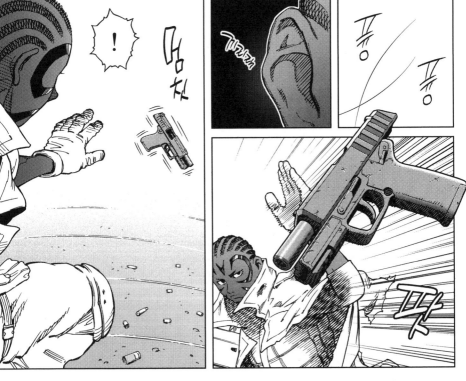

큰일이다!!

이 단분자 와이어… 우리 토끼들한테서 빼앗은 건가?

딩동댕!

처음에 던진 외도류에 실을 묶어 놨거든~!!

나를 함정에 빠뜨린 건 칭찬해 주지.

하지만 네가 죽을 예정 이란 데에 변함은 없어.

탄막을 친 게 역효과를 내셨엉~!!

그걸 앵커로 써서 실을 감으며 누님을 포위해갔지.

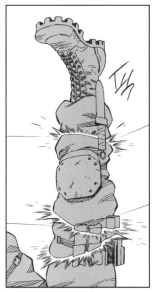

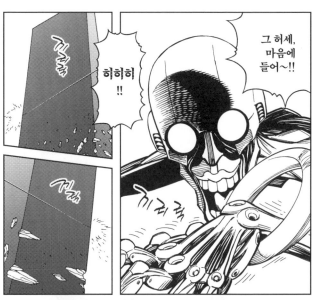

그 허세,
마음에
들어~!!

히히히
!!

히히히
!!

일단 다리
하나~!!

못
보겠어!!

대장님
~!!

자지의
작전은
아직 진행
중이야.

눈을
돌리지
마라.

엥?!

아까 쏜 그러네이드가 어디로 떨어질 거라고 생각하지?

하나 충고해 두겠는데.

네가 거기서 나를 가지고 놀 시간은 없어.

설마 그런 무리한 자세로 쐈는데…

착탄지점을 컨트롤할 수 있을 리가 없어…!!

설마?!

허세… 구먼!!

만약 진짜면 일부러 나한테 알려줄 리가 없잖아~

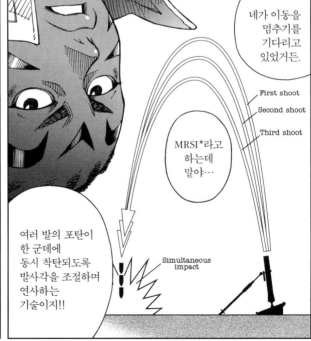

네가 이동을 멈추기를 기다리고 있었거든.

First shoot

Second shoot

Third shoot

MRSI*라고 하는데 말야…

Simultaneous impact

여러 발의 포탄이 한 군데에 동시 착탄되도록 발사각을 조절하며 연사하는 기술이지!!

* MRSI(Multiple Rounds Simultaneous Impact) : 다수 포탄 동시 착탄. 원래는 컴퓨터로 제어되는 자동유탄포(대포)로 수 킬로미터 떨어진 고정목표를 공격할 때 사용하는 사격법.

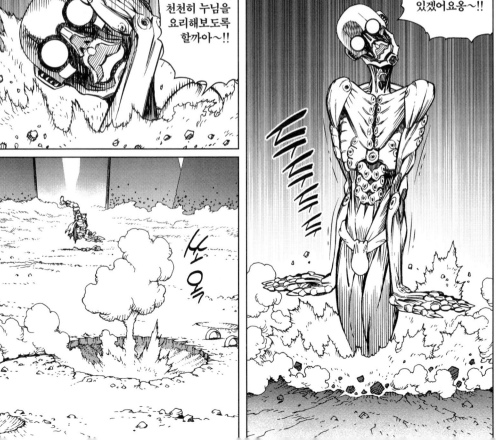

단분자 와이어에
휘감기기 직전에
폭파 케이블을
끌어들이셨구나!

하지만
…

놈이 땅속으로
숨어들어간
시점에
더는 필요가
없어진 거지.

폭파 케이블은
라칸의
초고속 체술
공격에 대비한
함정이었으
니까.

탈출할 수
있으면서
어째서
곧바로 하지
않은 거지?!

오른
다리의
손실이
너무
치명적
이야!

체공 미사일의 신관을 지연폭발로 세팅하면…

그리고 땅속의 라칸을 공격할 수단이 딱 하나 있어.

내폭 실드 전개!!

즉,
벙커 버스터가
되지!!

탄두는
지표를
관통해
땅속
깊은 곳에서
기폭한다.

아무래도
그게 누님의
마지막 총인
모양이네~!!

조금 놀라기는
했지만 전~혀
위기가
아니거덩~!!

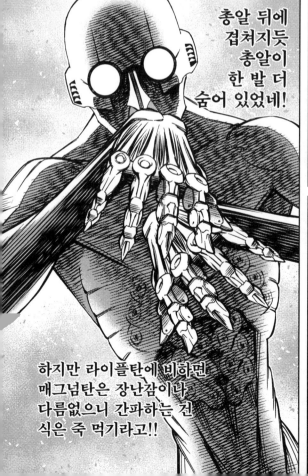

총알 뒤에
겹쳐지듯
총알이
한 발 더
숨어 있었네!

하지만 라이플탄에 비하면
매그넘탄은 장난감이나
다름없으니 간파하는 건
식은 죽 먹기라고!!

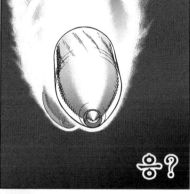

응?

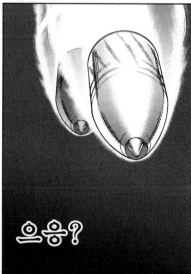

으응?

하이드 샷에
대응한
실력은
인정해
주겠지만

그건
질화티탄피갑을
쓴 오스뮴탄*
이었거든!!

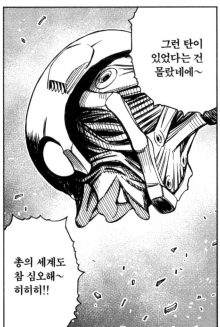

그런 탄이
있었다는 건
몰랐네에~

총의 세계도
참 심오해~
히히히!!

됐어!!

한 발 가격이
내 월급에
맞먹는다는
그 전설의…?!

오스뮴탄
이라고
…?!

후… 녀석,
분발했구나.

• 오스뮴탄 : 원자기호76의 원소 오스뮴(Osmium)을 사용한 탄환. 오스뮴은 모든 원소 중 밀도와 경도가 가장 높다. 레어 메탈인데다 융점도 높은 탓에 가공하기 어려워 가격이 비싸다. 공기 중에서 산화되어 만들어지는 사산화오스뮴은 맹독이다.

하지만 초음속의
엉덩이가!!

캑?!

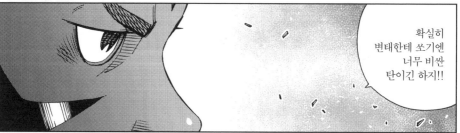

확실히
변태한테 쏘기엔
너무 비싼
탄이긴 하지!!

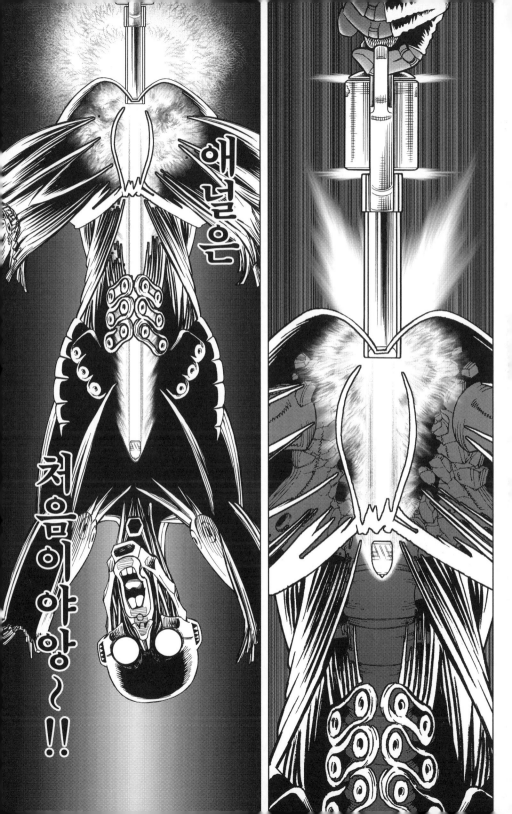

변태,
그것은 바로
사나이의
로망이 남긴
잔해!!

화성전사
자지의
탄환 앞에
결국
쓰러집니다아
~~!!

수많은
사건사고로
악명을 떨친
괴인 라칸도

잔탄 1…

이렇게까지
애먹을 줄이야…

그이는
어디로
갔니…?

갑자기
없어져
버렸는데…

아버지는
드디어
편히 쉴 수 있게
되었어요…

어머니.

Phase_101
만날 때 긴장해야 한다

젯카의 발화 찌르기에
가격당한 곳이
손바다이트화해서
부서질 줄이야…
젝스는 대체
발화 찌르기를
몇 대나 맞은 걸까요…?!

역시
'권호'라는
칭호는
거저 얻은 게
아닙니다!!

솔직히
그 유연한
발상에는
나도
놀랐다!!

내 찌르기의
에너지를 흡수해서
상전이효과로
역공…

네가 너무
혈기왕성한 탓에
찌르기에 맞은 자리가
식어 응결하는 데에
시간이
걸렸을 뿐이지!!

하지만 아무리
최신형 피지로이
보디라 해도
내 찌르기의 에너지를
전부 흡수해서
무효화할 수는 없어!!

헉,
안 돼~!!

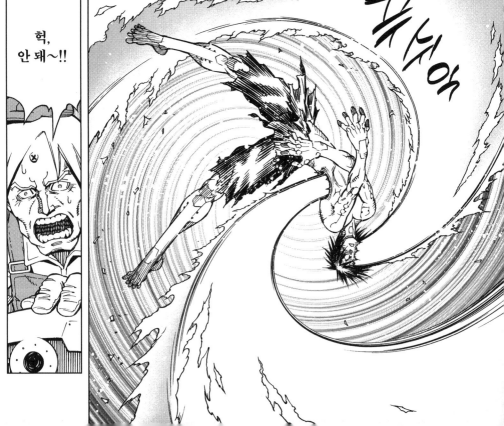

젝스 선생님, 산산이 터져버렸습니다!!

으아앙—

눈물을 흘리는 젝스 응원단!

역시 100년의 경험이라는 벽은 넘을 수 없었습니다!!

젯카를 아슬아슬한 국면까지 몰아 넣었지만

한쪽에 장애가 발생하면 나머지 하나가 백업으로 기능하는 게야!!

젝스 본체와 동일한 두뇌칩을 내장한 쁘띠 젝스에는 미러링* 방식으로 감각정보가 축차동기되어 있지.

SYNC

오오, 서브유닛은 살아 남았나!!

영감, 이건 뭐야?

보디를 고치고 나서 다시 덤벼!!

도전은 언제든 받아줄 테니까!!

CATCH!

100

그렇군.

*미러링(Mirroring) : 거울상 동기. 완전히 같은 내용의 정보를 복수의 기록장치에 보존하는 일.

자지 대 라칸 전의 결판이 난 모양입니다!!

쿠르르르릉

아얏~

화성전사 자지의 탄환 앞에 결국 쓰러집니다아~~~!!

수많은 사건사고로 악명을 떨친 괴인 라칸도

하지만 젯카가 회복을 기다리는 상태임에 반해 자지는 사실상 전투불능! 스페이스 엔젤스가 다소 불리한 상황인가요?!

스페이스 엔젤스와 우주공수연합군에서 각각 한 명씩 탈락자가 나와 현재 남은 멤버수는 2-2!

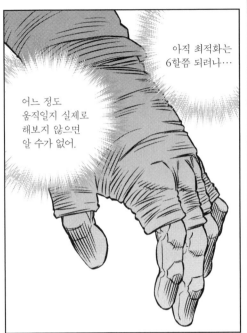

아직 최적화는
6할쯤 되려나…

어느 정도
움직일지 실제로
해보지 않으면
알 수가 없어.

게다가
이 날개는 뭐지?!
너무
거추장스러워!

이런 이상한 건
대체 왜
생겨난 거야?

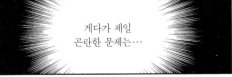

게다가 제일
곤란한 문제는…

원 홀
WH 노심을 써서
목성에서 에너지를
빌려와 보디를
재구성했지만…

으ㅡ음…

옷 디자인을
못 정하겠어!!

전에 부활했을 때는
별다른 생각 하지 않아도
무난하게 넘어갔는데…

아무래도
이매지노스 보디에는
의식적으로
형태를 정할 수 있는
부분과 무의식적으로
결정되어버리는 부분이
있는 것 같아.

설마…
이 자식…

졸고 있나?!

그런데
이 남자…

어째서 아까부터
움직이지 않고
가만히 있지?

빠르···다!

리플레이 영상입니다.

앞손의 미세한 움직임으로 충격파를 만들어내서…

거기에 올라타는 방법으로 날아차기!

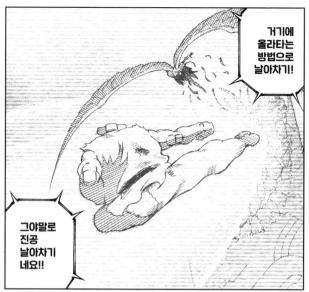

그야말로 진공 날아차기 네요!!

찍.

찌…

토지 씨의 움직임이 본질적으로 변한 느낌이 듭니다!

게… 게다가 제 기분 탓일지도 모르겠지만…

고작 수십 분 만에 이렇게까지 변할 줄이야… 토지 저 녀석, 무슨 일이 있었던 거야?!

사나이는 사흘 못 보면 만날 때 긴장해야 한다… 라고는 하지만

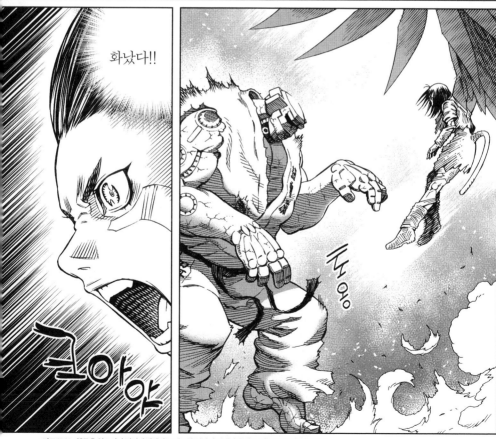

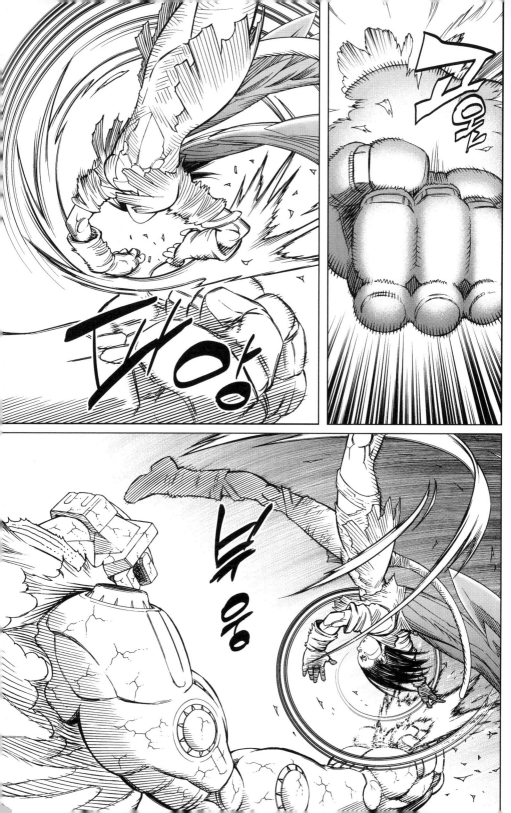

뭐엉!!

후두둑...

AUßER STOß
아우서 슈토스
호 영 습
(弧影襲)를
깨다니!!

토지 씨의
주무기였던
거구와 파워를
살린 원거리형
면공격법은
9할 정도의
상대에게
유효했지만…

토지,
스스로
시도한
접근전에서
갈리를
압도합니다!!

초전자공수의
원형인 고주류(剛柔流)
공수는 접근전에
뛰어나기로
정평이 나 있는 만큼

기본으로
돌아간 게
아닐까요!!

아노말리처럼
그보다 더 거대한
상대나 갈리와 같은
고차원의
무술가에게는
통하지 않는 경우가
많았습니다.

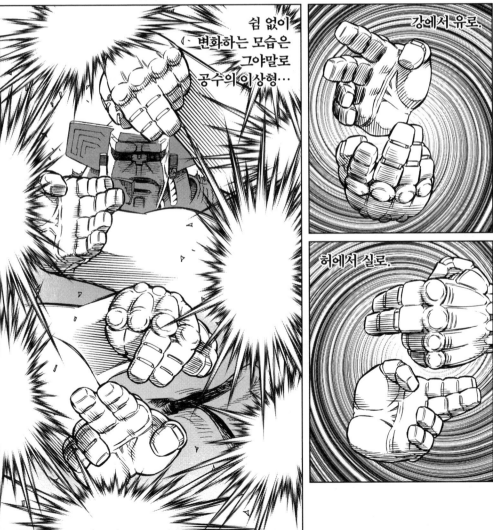

쉼 없이
변화하는 모습은
그야말로
공수의 이상형…

강에서 유로.

허에서 실로.

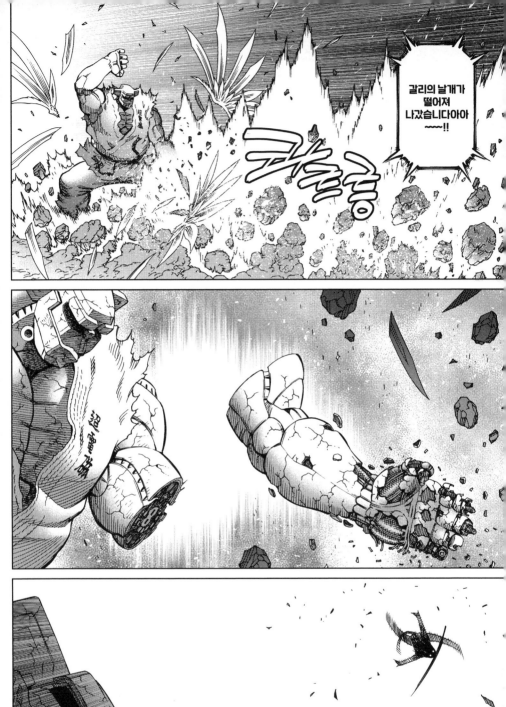

너무나
화려하고!
지독하리만치
철저합니다!!

Phase_102 최후의 거물!

Phase_102
최후의 거물!

레비아탄1
에서부터
이어진
둘의 인연에
드디어 끝이
났습니다!!

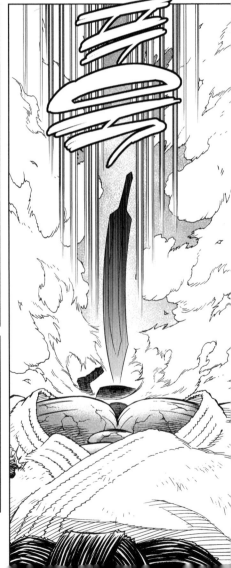

이 정도면
토지의 생명은
확실히
끊어졌겠죠!!

카운터 공격으로
양팔을 절단하고
급소 중의 급소인
머리에 성형작약축…
그것도 모자라
확인사살로
얼굴에 블레이드를
꽂았으니…!!

덜 덜

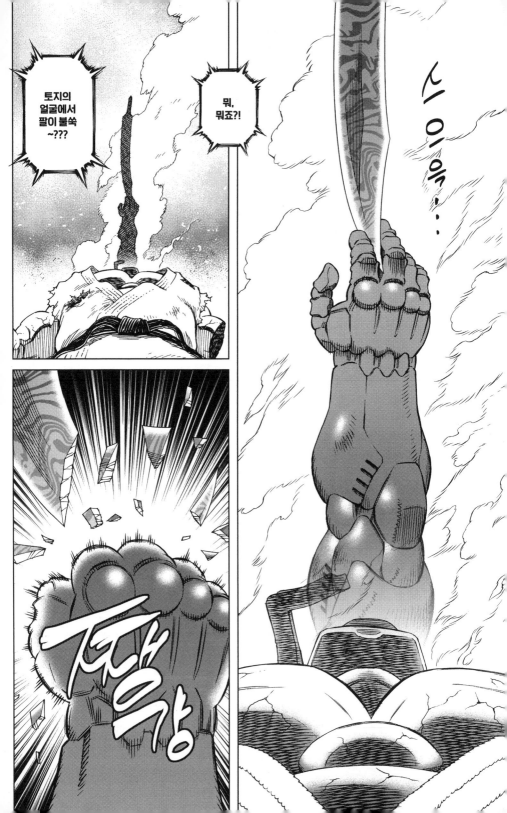

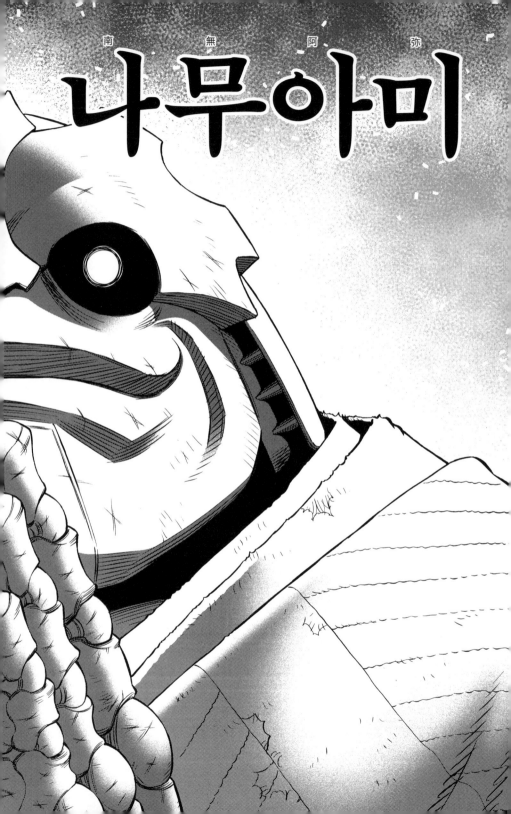

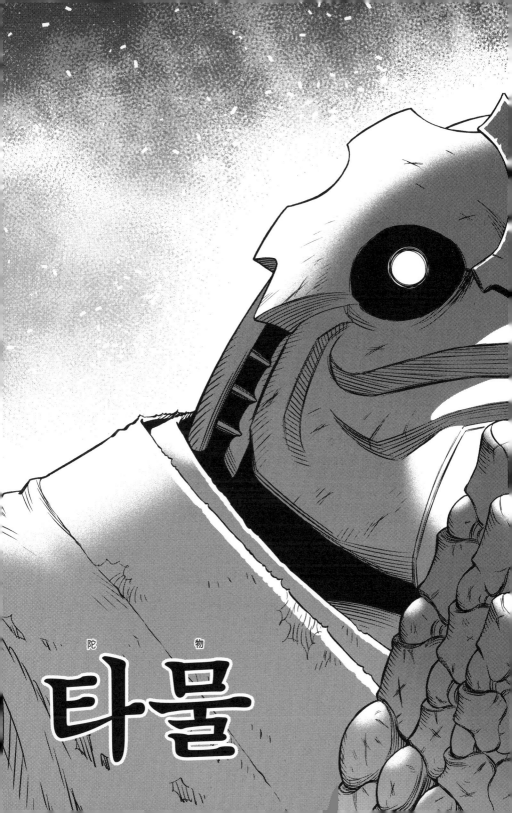

타물

저
남자는!!

저···

누구냐 넌?

······
······

수수께끼의
남자가 홀연히
출현했습니다!!

대체
어떤 트릭을
썼는지

정말로
강하구려~!!

아가씨.

예전에
잠시 공수를
배웠으나

사정이 있어
중이 되었다네.

나는 돈파.

상처가
없어.

성형작약축을
이 남자가
무효화했나?!

미숙한
녀석이지만
장래가
유망하니

아량을
베풀어
목숨만은
거두지
말아주면
좋겠네만.

이 녀석은
내 사손
인데.

마지막 보충요원으로 등록되어 있습니다!!

토지가 처음에 신청한 우주공수연합군의 오리지널 멤버 중 한 명이고

저 남자는 초전자공수의 창시자인 돈파입니다!!

트… 틀림 없습니다!!

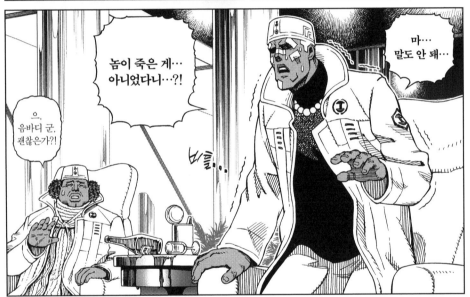

놈이 죽은 게… 아니었다니…?!

으, 음바디 군, 괜찮은가?!

마… 말도 안 돼…

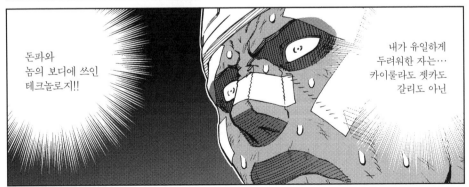

돈파와 놈의 보디에 쓰인 테크놀로지!!

내가 유일하게 두려워한 자는… 카이룰라도 젯카도 갈리도 아닌

잠깐!

분명히
벤 감촉이
있었는데?!

내가
졌네!!

씨앙

이야~
이거
놀랍군.

그렇게
생각하지
않나,
젯카!!

우리 같은 늙은이는
젊은이에게
승리를 양보하고
뒷방으로 물러나는 게
도리야!

졌네,
졌어!!

둔해졌군,
돈파!!

그런 새파란
여자애한테
선수를
내주다니…

대체
어디서
튀어나온
거냐?!

그건 그렇고
넌 내가
죽였을 텐데…

나는
사정이 있어서
다른 차원을
수시로 오가는
난감한 체질이
되어버렸거든.

네 손날은
내 껍질을
부수었을 뿐이고
그때 내 실체는
네 보디로
옮겨가버렸지.

272

난처하게도 말이네…

그리고 네가 토지의 엉덩이를 밀어줬을 때 이번에는 토지의 보디로 옮겨가버렸어.

역시 그 테크놀로지는 미완성이야… 위험해!!

양자적 존재확률이 불안정해져 인접 차원으로 흘러들어갔다는 건가.

돈파 씨가 무슨 말을 하는지 이해가 가시나요?!

아, 아뇨… 하지만 적어도 유령은 아닌 것 같네요.

무슨 조화인지 내 이미지를 따라하듯이 움직이더군.

토지는 아가씨의 공격으로 반쯤 의식을 잃은 것이나 마찬가지 상태였거든.

그럼 토지 안에 있는 사람이야?

?

이 녀석이 공수도를 수련하며 쌓아온 기술은 서투르나마 나의 움직임을 재현한 게야.

기특하지 않는가!!

그렇게 생각하지 않나, 젯카?

지금이 바로 시대가 바뀌는 순간일지도 모르겠구나~

당연하지~

훗···

물론 그걸 꺾은 아가씨도 대단하지!!

내 목적은 너다, 돈파!!

자화자찬은 집어치워!!

이젠 대회의 승패도 알 바 아냐!!

참아라, 젯카~!!

쓰... 쏠 생각이냐?!

겨, 결승전은 어떻게 되는 거죠?!

갈리는 방치하고 돈파에게 승부를 거는 젯카!!

다들
내 로망을
위해
죽어줘!!

하지만 이건 사나이의 평생을 건 로망이거든!!

미안해, 영감...

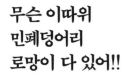

무슨 이따위 민폐덩어리 로망이 다 있어!!

'다모클레스의 검'* 발사 준비!!

목표는 제5투기장!!

뭐, 뭐라고?!

'다모클레스의 검'을 쓰면 대참사가 일어난다.

알겠습니다!! '다모클레스의 검' 발사 시퀀스에 들어갑니다.

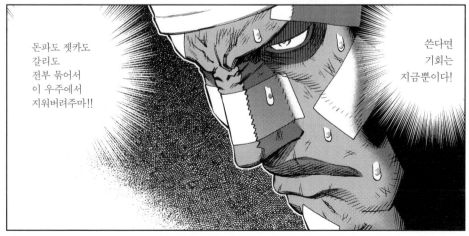

돈파도 젯카도 갈리도 전부 묶어서 이 우주에서 지워버려주마!!

쓴다면 기회는 지금뿐이다!

• 다모클레스의 검 : 지구공전궤도상에 뜬 4개의 스텔스 위성을 통해 발사되는 병기 시스템의 코드네임. 스칼라 전자파 간섭으로 목표 좌표에 초고에너지를 발생시킨다. 『총몽 LO』 제86화 참조.

갈리는
파타 모르가나*를
통한 전뇌감각으로
'다모클레스의 검'이
가동하는 것을
감지했다.

뭔가가…
멀리서
온다!!

!!

여긴
위험해!!

알고 있다…

너…
너는…

무슨 일이
일어날지
나는 다 알고
있느니라…

• 파타 모르가나 : 중앙전뇌 멜키체덱의 양자 키. 현재는 갈리의 두뇌칩과 융합되어 양자 얽
힘 효과로 멜키체덱의 네트워크와 초광속 링크가 가능한 상태다. 「총몽 LO」 제71화 참조.

이 ZOTT 결승전…
이러다간
예루에 있는
모든 이가
죽게 될 걸세.

이미
한참 전에
미래가
향하는
종착점을
보았지.

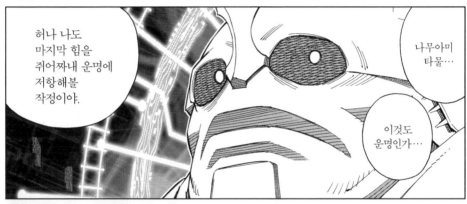

허나 나도
마지막 힘을
쥐어짜내 운명에
저항해볼
작정이야.

나무아미
타불…

이것도
운명인가…

예전에는
공수도를 했고
지금은 평범한
중이라고.

말했잖나.

너… 대체
정체가
뭐야?!

Phase_103
한밤의 태양

견제이면서도
필살의 위력을
지니고 있다!!

갈리의 참격에
대응할 때처럼
비현실화로
회피할 수도
있었지만

돈파는
초전자 방어를
병용해
정강이로 공격을
받아냈다.

젯카가
도룡파골 콤비네이션을
끝까지 쓰게 하려면
기술을 전부
받아낼 필요가
있기 때문이다.

이것은…

환희?!

그리고
풀 컨택트를 통해
비로소
알게 된
사실도 있었다.

돈파는 가까스로 전부 방어했지만

젯카의 하단차기는 섬광과 같은 3연타.

엄청난 에너지에 저도 모르게 거리를 두는 갈리.

둘이 격돌하자 그 파워로 지면이 끓어올라 수프처럼 폭발했다!

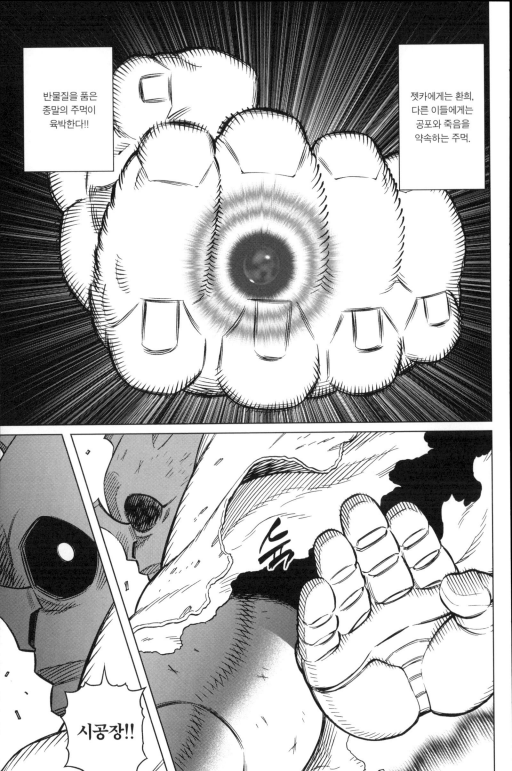

다들
아직
살아있어
…

무효화에
성공한
모양이네!!

그래,
일단은…

'다모클레스의
검'이
발동하지
않지?!

어째서
…

허나 어디까지나
절반의 성공이야.
절반은
실패했지…

젯카의
반물질권으로
녀석의 로망과 함께
다같이
죽는 일만은
막았네.

네, 발사 위성은 4기 전부 건재합니다.

'다모클레스의 검' 시스템은 무사한가?!

스펙트럼 분석을 통해 반물질의 쌍소멸 반응임을 확인했습니다.

80만 6천 킬로 떨어진 우주공간에서 일어난 폭발은

역시 젯카는 젯카야. 공격이 너무 빨라 타이밍이 천분의 일 초만큼 어긋나 버렸거든…!!

젯카의 반물질권을 날려보내 공격위성 중 하나에 충돌시키는 일석이조의 효과를 노렸지만…

공간 왜곡을 고려해서 발사 시퀀스를 재개해!!

시스템을 다시 체크 하도록!

알겠 습니다.

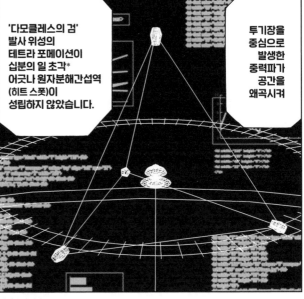

'다모클레스의 검' 발사 위성의 테트라 포메이션이 십분의 일 초각* 어긋나 원자분해간섭역 (히트 스폿)이 성립하지 않았습니다.

투기장을 중심으로 발생한 중력파가 공간을 왜곡시켜

• 각도의 단위 : 1도를 60등분하면 분, 분을 다시 60등분하면 초가 된다.

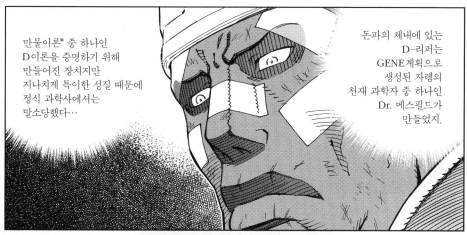

만물이론* 중 하나인
D이론을 증명하기 위해
만들어진 장치지만
지나치게 특이한 성질 때문에
정식 과학사에서는
말소당했다…

돈파의 체내에 있는
D-리퍼는
GENE계획으로
생성된 자렘의
천재 과학자 중 하나인
Dr. 메스필드가
만들었지.

어째서인지 주변
인간의 의식에 감응해
효과가 달라지고
인간을 변성의식상태**로
바꿔버리는
힘이 있었어.

처음에는 진공에서
무진장의 에너지를
추출해내는
프리에너지 장치로
기대했지만

신이나 다름없는
힘을 가진
개인의 존재를
용납할 수는
없어!!

D-리퍼가 이론대로의
성능을 발휘한다면
누구도 돈파를
죽일 수 없게 돼…

게다가 후속 연구를
통해 D-리퍼가
시공의 구조를 파괴할
우려가 있다는 사실도
예측됐지.

냉철한 의식이
없다면 과학의
대상이라고는
할 수 없다.

* 만물이론 : 우주의 성립부터 미래에 이르기까지의 모든 것을 설명하는 이론. D이론은 물리적인 시공에 더해 현상적 의식(퀄리아)까지도 통일적으로 기술하려 하
는 야심적인 이론이다.
** 변성의식상태 : 의식이 평소와 다른 상태가 되면서 우주와 일체감, 환각, 가치관의 변화 등을 경험한다. 극한상태나 명상, 종교체험, 약물 사용 등을 통해 발생한다.

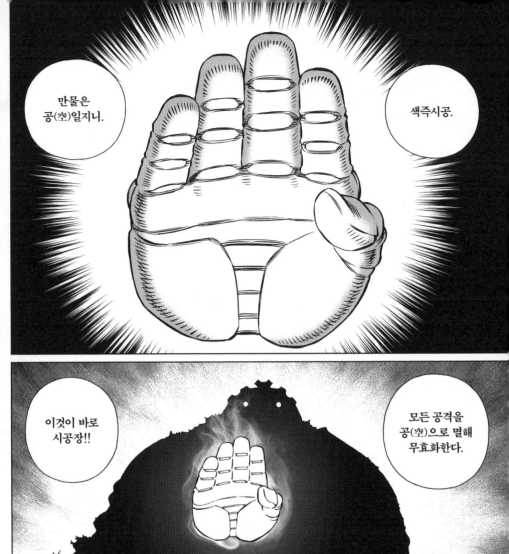

말 같지도
않은!

싸우지도
않는 걸
무슨
공수라고!!

'공수란 무엇인가'…
공수도를
수련하는 자라면
평생을 걸고
그 최대의 수수께끼와
마주할 필요가
있다는 게야!

이것은
내가 낸 답일 뿐,
타인에게
강요할 마음은
없다.

안타깝고
안쓰럽구나,
젯카…
너의 시야가
조금만 더
넓었다면

목을 쳐야 하는
'드래곤'은
내가 아니라
전쟁이나
인간을 억압하는
사회 시스템이며

한 발짝 나아가
인간 존재가 지닌
피할 수 없는 괴로움이나
악한 인과임을
깨달았을 텐데!!

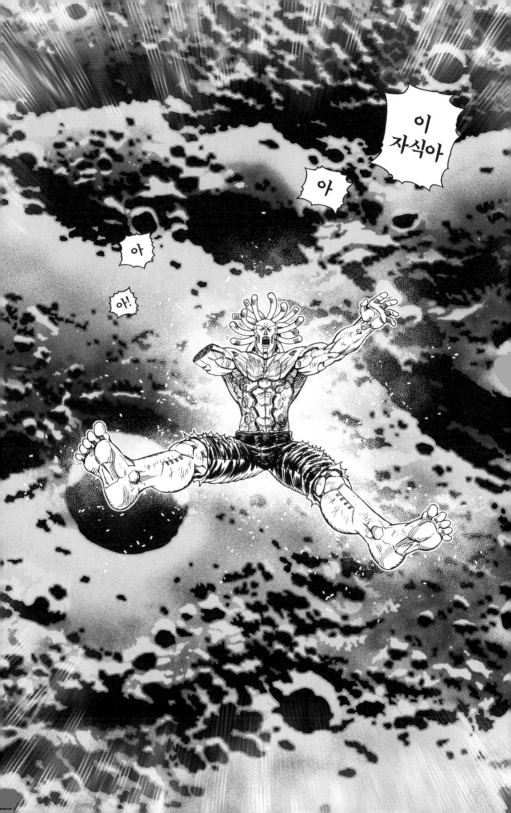

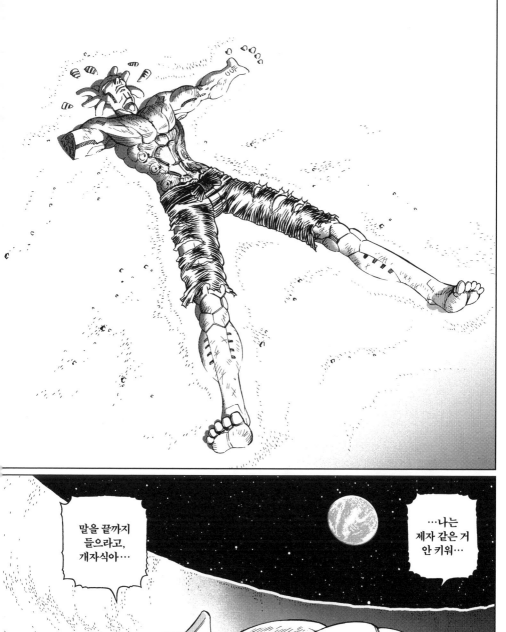

2-0으로 스페이스 엔젤스의 승리 확정!!

공수군에 마지막으로 남은 멤버 돈파의 기권이 인정되어

그리고 ZOTT 심판단의 판정결과가 나왔습니다!

젯카가 소멸~!

스페이스 엔젤스, 우승~!!

해냈구나, 갈리…

임무 완료.

해냈어…

루… 핑…
카이룰라…

오늘 이날은 우주의 역사에 분명하게 기록될 것입니다!!

상식을 완전히 벗어난 괴물, 초인, 달인, 초병기를 격파하고 민간 팀이 처음으로 우승한 쾌거!!

선수별 집중 베팅으로 왕창 땄어!!

대박 이다아!!

우리가 이겼다고…!!

…이제 남은 건 투기장에서 살아서 나갈 수 있느냐… 인데.

하지만 안타깝게도 불의의 폭발사고로 선수가 전원 사망해 무효 경기로 종료.

맡겨 두게!!

의지해도 될까? 장수풍뎅이 스님?

아무래도 눈으로 볼 수 없는 거리에서 날아오는 보이지 않는 에너지 공격 이니까.

…라고 말하고 싶지만 자신은 없구나.

과연 시공장으로 막아낼 수 있을지…

이게 내 시나리오다.

시스템 체크 올 클리어.

'다모클레스의 검' 재충전 완료.

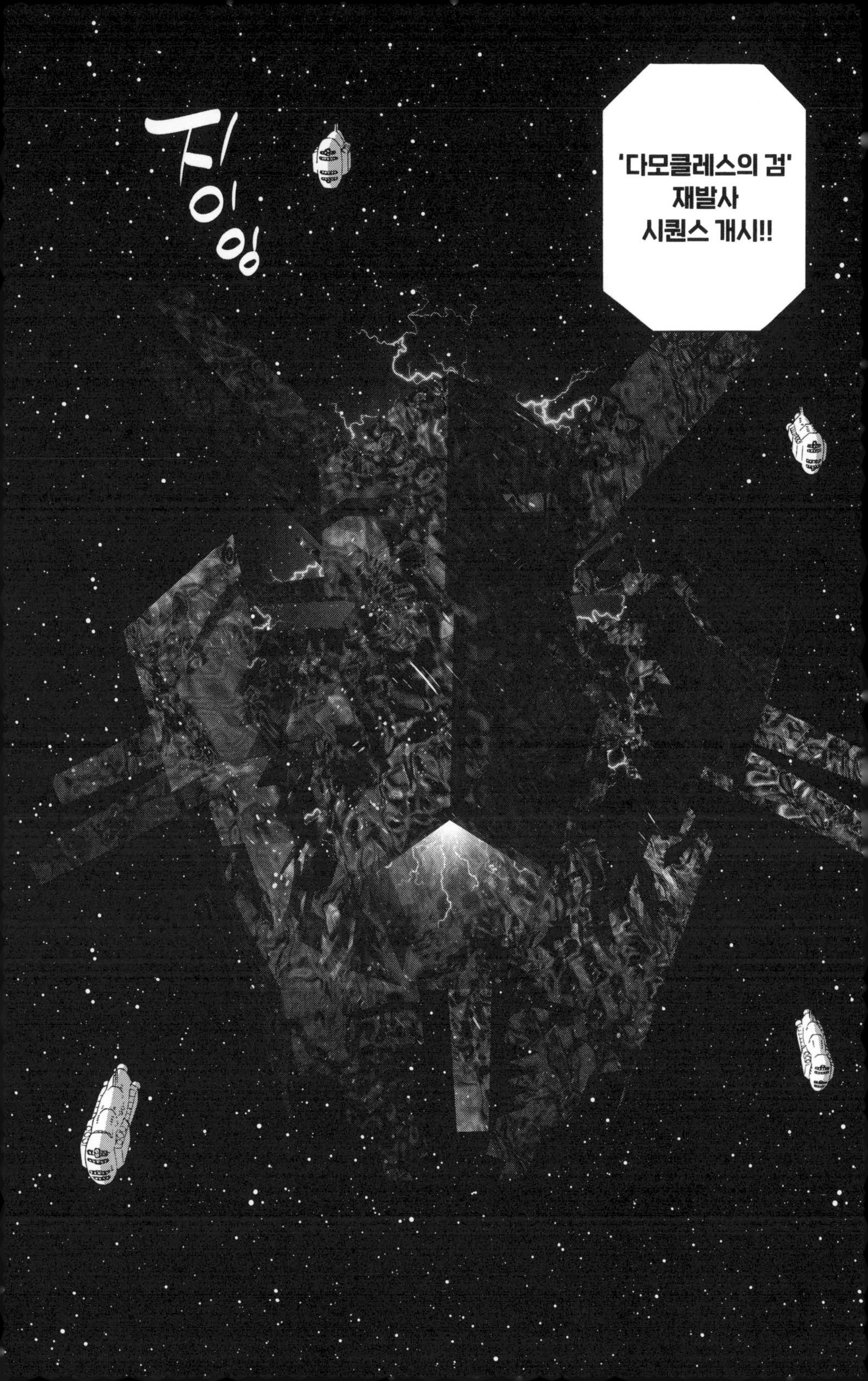
'다모클레스의 검'
재발사
시퀀스 개시!!
징이잉

그… 그건 너무… 하지 않나…?

LADDER의장
야지니크

음바디 군…

으…

화… 확실히 그녀의 팀이 우승한 게 대국의 체면에 먹칠을 했다는 건 이해하네… 하지만

정말 잘 싸워줬잖나… 나, 나는 솔직히 감동했는데…

뭔가 말씀 하셨습니까, 의장님?

으음?

유나니머스* 시스템으로 사고가 검열되는 예루인은 내 방침에 절대로 거스를 수가 없는데?!

어떻게 된 일이지?!

* 유나니머스 : 예루 시민은 뇌에 '피스 키퍼'라는 나노머신이 장착되어 네트워크와 연결 상태를 유지한다. 피스 키퍼는 시냅스 단계에서 반사회적 반응을 감시하고 억제한다(『총몽 LO』제15화 참조). 음바디는 유나니머스의 프로그램을 조작해 예루의 '보이지 않는 독재자'가 되었다.

그… 그런 건 공정하지 않다고 생각해!!

사… 사고로 위장해 대회 우승을 없었던 일로 한다니…

응성 응성

5851BB.2784.8898B2021.0

이… 이렇게 뻔뻔할 수가!!

우승은 없었던 일로 한다고요?!

VIP석의 감시 카메라 영상인 것 같은데요…

이… 이건 컴뱃TV의 영상이 아닙니다!!

지금 여기서 끝을 보는 수밖에!!

일반 관객을 말려들게 할 위험이 있어.

그럴 수는 없네.

이 틈에 탈출하자!!

그렇구나.

생각지 못한 원군인걸!!

그, 그런 건
내가 아는
캡틴 옴바디가
할 법한
행동이 아니야!

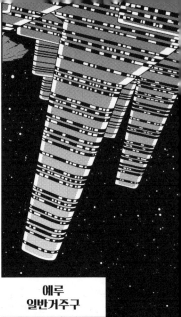

VIP석에서
유출된 영상은
예루의
모든 모니터에
흘러나왔다.

예루
일반거주구

어떻게
생각해도
이 수법은
너무
더러워.

의장님
말씀이
맞아.

어떻게
생각해?

이건 봐서는
안 되는 영상
아닐까?

유나니머스
시스템의
기능이
정지되었어!!

확실해.

그때는
옳은 일
이라고
생각해서…

어…
어째서
일까…

이건
저번 임시
LADDER에서
결정된
사안인데…

어째서
그때는
이의를
제기하지
않으셨죠?!

'다모클레스의 검' 발사 시퀀스를 속행하라!!

지금은 그런 걸 논의할 시간이 없습니다!!

발사 시퀀스를 중단 합니다.

의장 권한 승인.

'예루 시민은 정의와 공평을 추구할 권리가 있다'… 이 사실을 가르쳐준 사람은 바로 과거의 자네잖나!

눈을 떠주게, 음바디 군!!

이 자식!

ㅎ이아

뭘 하는 거냐?!

대체
무슨 일이
일어나고
있는 거지?

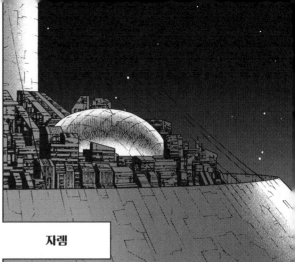

자렘

뭔가
아는 게
있나보군,
교수?

시작되었군요
…!!

닷새 전…
그는 핑 우라는
남자와
어떤 '내기'를
했다고 합니다.

지금은 사라진
포터 노바에게서
들은 이야기
입니다만,

유나니머스를
정지시킨다고 해서
예루인이
자유로워진다고
진심으로 생각하나요?

무의미한
짓이에요
…

포터 노바

이건
특정 조건하에서
발동해 유나니머스
시스템을
기능정지시키고
영상을 유출시키지.

내가 만든
'포크스'
바이러스.

핑 우(위젤)

일단 조건화가 완성되면
감옥문을 열어도
노예들은 감혀 있었다는
사실조차 인식하지 못하니
자유로워질 일이 없지요!!

'피스 키퍼'가
장착된 뇌는
신경세포 단위에서
조건화가 진행되어
파블로프의 개와
비슷한 상태가
됩니다.

예를 들어
갈리네 팀이
ZOTT에서
우승했는데 그걸
음바디가 없던 일로
하려 한다…든가!

하지만
누가 봐도
불공정한
사건이
일어난다면
어떨까?

실은 로보아질에
틀어박혀 있을 때
몇 번은
유나니머스를
정지시켜봤는데…
아무 일도
안 일어나더라고.

그건
교수 말이
맞아.

하지만 지금 그게 실현되었다는 점도 부정할 수 없습니다!!

반쯤은 그의 희망사항이었겠죠.

닷새나 전에 이 상황을 예측하고 손을 써뒀다니…

핑… 대단한 남자로군.

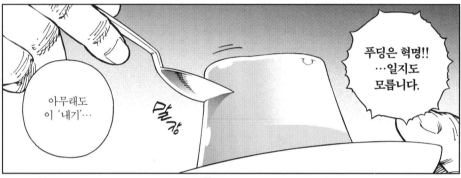

아무래도 이 '내기'…

푸딩은 혁명!! …일지도 모릅니다.

말캉

핑 군이 이긴 모양이네요!!

냠

아쉽게도…
이제 그 둘은
'내기'의
결과를 알 수
없겠지만요…

레비아탄1

두 번
말하지
않겠다.

지금 당장
발사
시퀀스를
재개해!!

이…
무능한 인간이
감히 나에게
설교를…

의장
권한으로
거부
하겠어!!

나는
정의와 공평을
요구한다!!

의…

덜
덜

정의가 무엇인지 정의할 수 있는 존재는

바로 나, 트리니다드 뿐이다!!

쓰레기가 주제도 모르고…

그런가, 이건…

유나니머스 시스템의 기능 정지…

한 방 먹었군!!

위젤의 짓이야!!

LADDER
제1급
반역 용의자로
체포합니다.

무례한
놈들!

음바디 국장!
당신을
야지니크 의장
살해 현행범 및

음바디 씨···
정신이
이상해진
걸까요?!

너···
너무나
충격적인
영상
입니다!

꺼···
꺼졌다!

이게
어떻게
된 일이야!

의장님을
죽이다니···

꺄아
아아!

법정에
세우자!!

이런
무법행위는
용납할 수
없어!

이 국면을 넘기고
유나니머스를 복구하면
사실관계 따위
얼마든지
조작할 수 있다!!

아직
끝나지
않았어!

음바디를
잡아라!

접속
인증.

그리고
언젠가는
현실세계도
이상적인
모습으로!!

나는
전뇌계의
지배자,
트리니다드.

발사!!

'다모클레스의 검'

발사 출력
150%!!

뷰오오오웅

흥··· 용케
버티고 있군.

하지만
어차피
시간문제야!!

쿠아아악

역부족인가⋯!!

여⋯

젯카의 콤비네이션에
오른쪽 무릎과
왼팔이 손상되고⋯
시공장을
두 번이나 쓴 탓에
에너지도 반감되고
말았어!!

평소라면
어땠을지
모르지만

툭

힘을 보탤게.

고맙구나!!

아마 너라면 잘 활용할 수 있을 거야.

내 몸속 WH 노심… 나는 어떻게 써야 할지 잘 모르지만

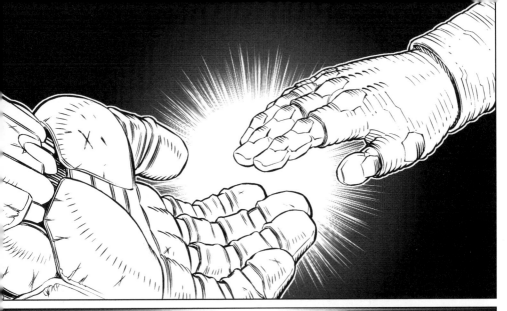

因緣生起

인연생기

이매지노스
세포는
돈파의
손상된 보디를
순식간에
복구하고

갈리와 돈파는
인탱글먼트*를
통해 서로의
의식과 능력을
보완했다!

9억 km 떨어진
머나먼 목성에서

돈파는
웜홀 노심을
통해

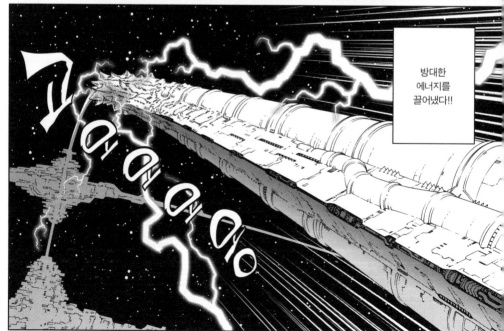

방대한
에너지를
끌어냈다!!

* 인탱글먼트(Entanglement) : 복수의 입자나 계(系)가 양자학적으로 상관하는 상태. 양자 얽힘.

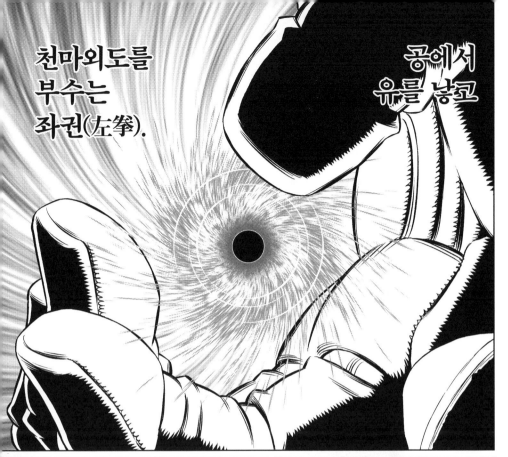

천마외도를
부수는
좌권(左拳).

공에서
유를 낳고

블랙홀
인가…!!

⚠RED ALERT

경고!
표적 좌표에서
국소적인
질량 증대가
검출됐습니다!!

슈바르츠실트
반지름*이
형성되고
있다고?!

이 공간
왜곡은…
말도 안 돼!

* 슈바르츠실트 반지름 : 강한 중력으로 인해 탈출속도가 광속을 넘게 되는 영
역의 경계면. 사건(사상)의 지평선(이벤트 호라이즌).

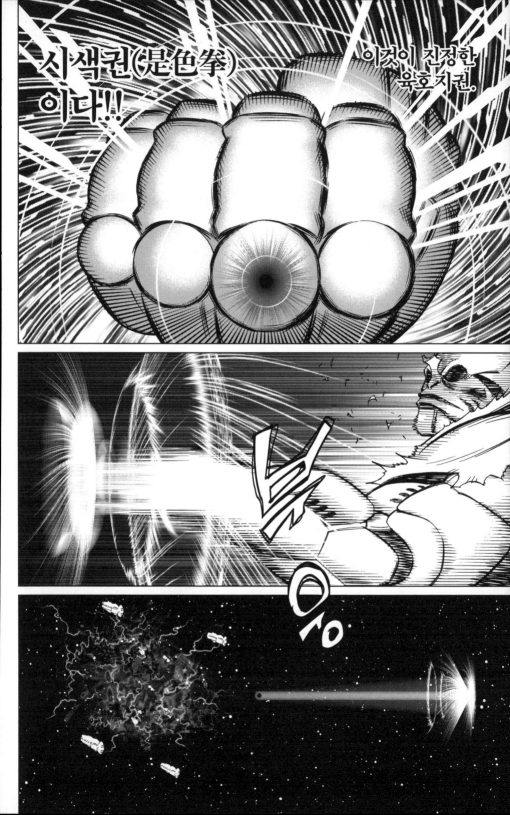

돈파가 발한
블랙홀이
'다모클레스의 검'을
구성하는
공격위성 중
하나를 집어삼켰다!

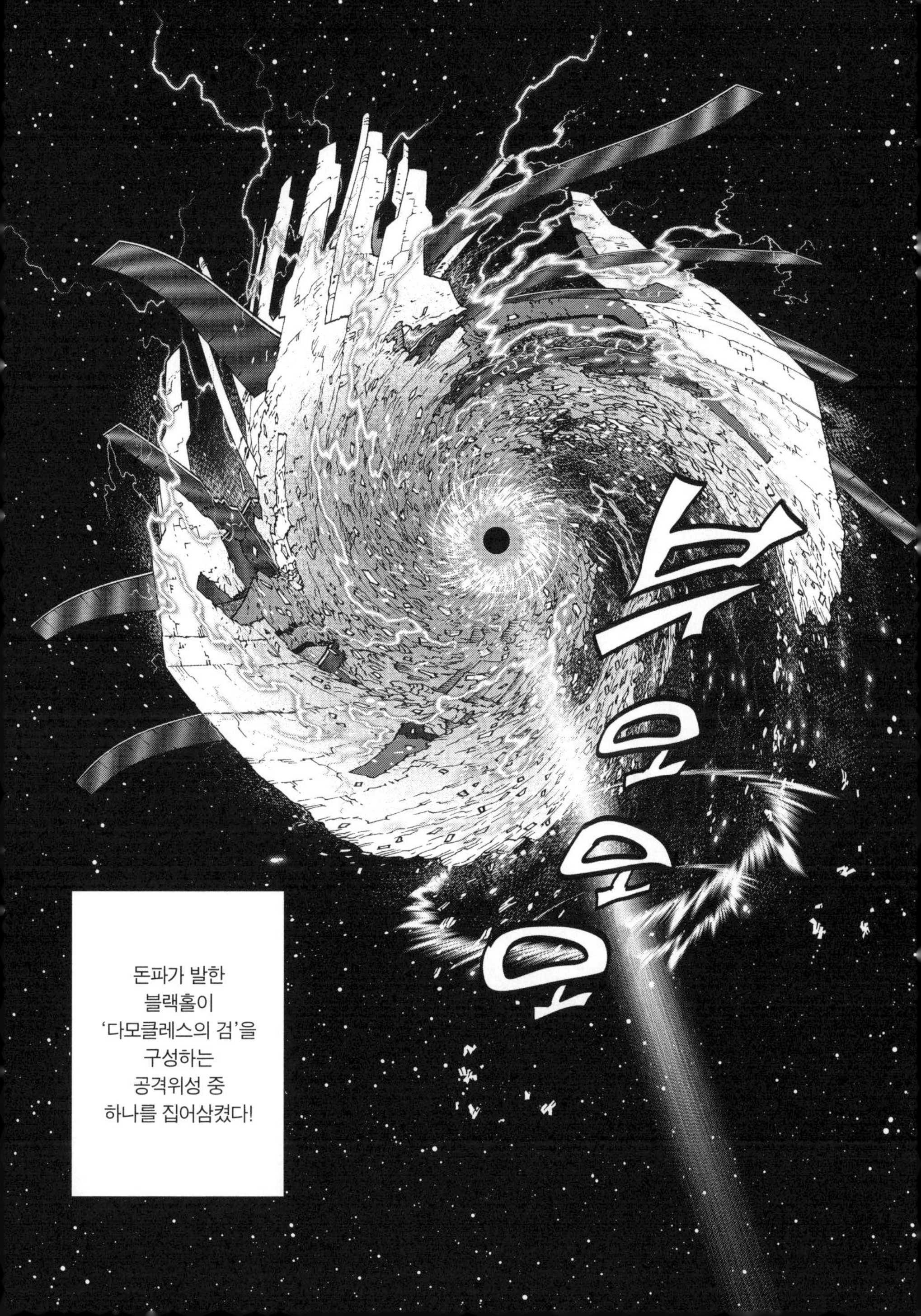

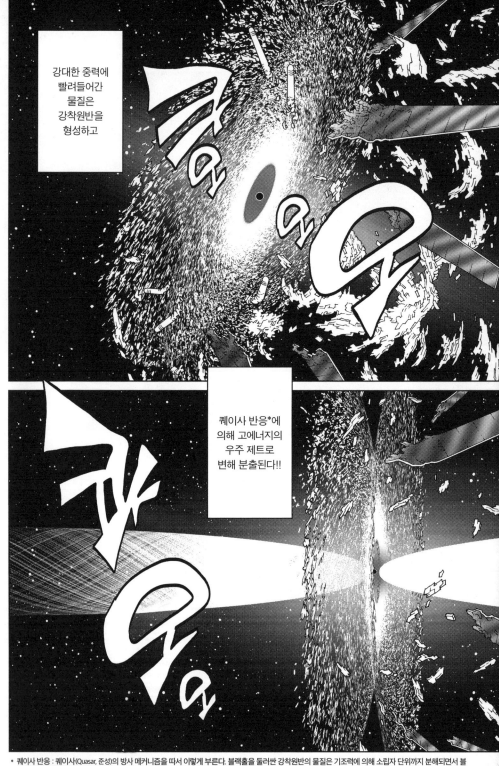

강대한 중력에
빨려들어간
물질은
강착원반을
형성하고

퀘이사 반응*에
의해 고에너지의
우주 제트로
변해 분출된다!!

* 퀘이사 반응 : 퀘이사(Quasar, 준성)의 방사 메커니즘을 따서 이렇게 부른다. 블랙홀을 둘러싼 강착원반의 물질은 기조력에 의해 소립자 단위까지 분해되면서 블
랙홀로 떨어질 때, 마찰로 무려 1억 도의 초고열 플라스마로 변한다. 떨어지는 물질의 총 질량 중 50%는 전자파나 원반의 수직방향으로 분출되는 우주 제트가
되어 탈출하는 것으로 추측된다.

우주 제트를
뒤집어쓴
호위함은
엿가락처럼
용해되어 폭발.

블랙홀은
아공간으로
사라졌다.

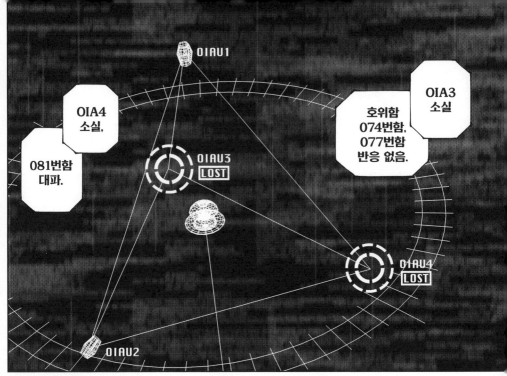

!!

죗값을
치를 때가
왔구나!!

'다모클레스
의 검'
기능 정지!!

ALL
FUNCTION
BREAKDOWN

긴급사태
페이즈4
프로그램을
개시합니다.

이⋯
이럴 수가⋯

OIA1
소실.

분노한 예루인이 셔틀에 쇄도…

돈파… 이 자식!!

네가 육성한 NEWORDER의 병사들도 지금은 너를 체포하려 움직이고 있지.

얼어붙은 명왕성에서 나는 깨달았다!

방황하는 우민들에겐 초인의 완전한 통치만이 정답이라고!

그게 뭐 어떻다는 거냐.

나는 초인 트리니다드. 벌레들이 몇만씩 떼로 덤벼도 내 상대는 되지 못해!

나무아미 타물…

이것도 인과응보 라네!!

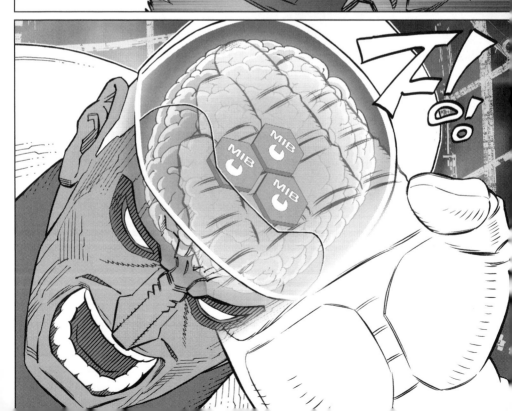

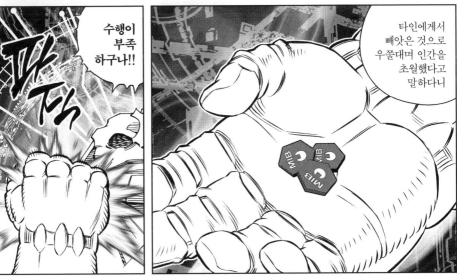

그저 시간이나 공간이 의미를 갖지 못하는 다른 차원으로 갈 뿐이지.

죽는 거야?

죽는 건 아닐세.

무리해서 코멘트하지 않아도 되는데.

선(禪)이구나!!

그야 말로…

그, 그건…

내 가는 김에 이 녀석도 데리고 가지.

놔, 놔줘어~

페인 대령?!

아가씨, 이번에는 큰 신세를 졌구려.

사례라기엔 뭣하지만…

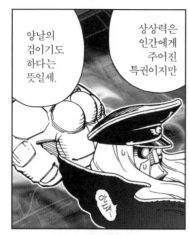

양날의
검이기도
하다는
뜻일세.

상상력은
인간에게
주어진
특권이지만

강한 이미지화를
이룬 나쁜 상념은
독자적으로
활동하고
성장하기
마련이야.

**어떻게
한 거야
…?!**

상상력의
제어…

상상력은
현실도
바꿀 수 있지!!

내가 지장력을 얻어
수련한 것이 바로
상상력의 제어라네.

지지
마시게!!

앞으로도
아가씨가
가는 곳에는
고난이 끊이지
않겠지만

사라졌어!!

그 스님은 어디로 갔지?!

그야말로 위기일발 이었어.

끝난 건가…

주인님~!!

⚠ CAUTION
Risk of electric shock

아무래도 다들 무사한 것 같네!!

급격한
무게 변동으로
궤도 엘리베이터가
침하할 게야!!

음바디가
강제 퍼지
프로그램*을
걸어두었네.

아서!
대체 무슨 일이
일어나고
있는 거지?!

상황이
심각해졌군.

* 어니언 프레임은 원래 ZOTT를 위해 만들어진 구조물이기에 비상시에는 예루에서 분리·폐기(퍼지)되도록 설계되어 있다. 이번 상황에서는 '다모클레스의 검'이
파괴된 후에 음바디가 자동적으로 강제분리·폐기되도록 손을 써두었기 때문에 안전절차가 생략되어 궤도 엘리베이터까지 위험이 미치게 되었다.

저… 저길 봐.

우와… 말도 안 돼.

괜찮은가, 벡터 씨?!

그… 그래.

아야야~ 혹이 생겼잖아!!

끄응~

꼬꼬꼬

자렘이 떨어지고 있어!!

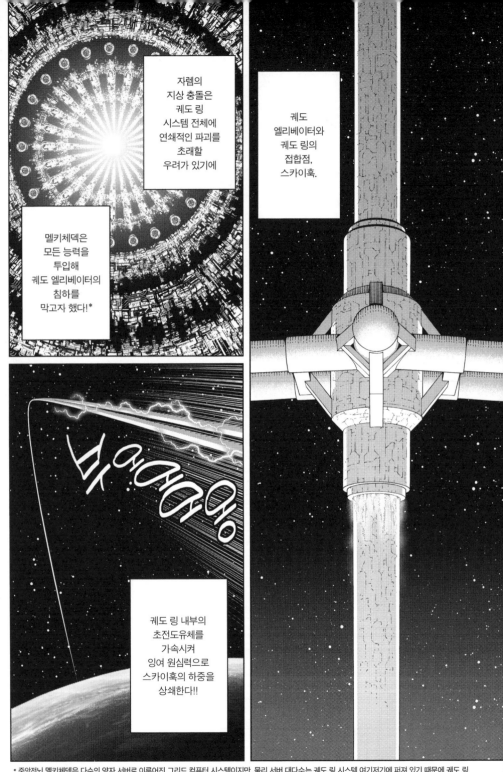

자렘의 지상 충돌은 궤도 링 시스템 전체에 연쇄적인 파괴를 초래할 우려가 있기에

궤도 엘리베이터와 궤도 링의 접합점, 스카이훅.

멜키체덱은 모든 능력을 투입해 궤도 엘리베이터의 침하를 막고자 했다!*

궤도 링 내부의 초전도유체를 가속시켜 잉여 원심력으로 스카이훅의 하중을 상쇄한다!!

* 중앙전뇌 멜키체덱은 다수의 양자 서버로 이루어진 그리드 컴퓨터 시스템이지만, 물리 서버 대다수는 궤도 링 시스템 여기저기에 퍼져 있기 때문에 궤도 링 시스템의 파괴는 멜키체덱 자체의 파괴를 의미한다.

무게 변동에 따른
반동은
대척점에 있는
또하나의 궤도
엘리베이터에도
영향을 주어

해상 플랜트
도시
구라트를
상승시켰다!

인도양

멈췄…
나?

머…

하지만
새로운
문제가
생겼어.

다행이야
…

간신히 자렘의
지상 충돌은
피할 수 있었네.

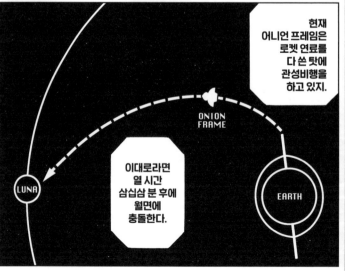

현재
어니언 프레임은
로켓 연료를
다 쓴 탓에
관성비행을
하고 있지.

ONION
FRAME

이대로라면
열 시간
삼십삼 분 후에
월면에
충돌한다.

LUNA

EARTH

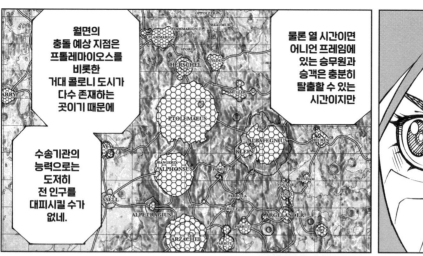

월면의 충돌 예상 지점은 프톨레마이오스를 비롯한 거대 콜로니 도시가 다수 존재하는 곳이기 때문에

수송기관의 능력으로는 도저히 전 인구를 대피시킬 수가 없네.

물론 열 시간이면 어니언 프레임에 있는 승무원과 승객은 충분히 탈출할 수 있는 시간이지만

그러니 갈리, 멜키체덱으로부터 그대에게 부탁하고 싶은 게 있다.

게다가 유나니머스의 기능 정지와 옴바디의 실각으로 궤도연합정부는 혼란에 빠져 있으니 신속한 대처를 기대할 수도 없지.

지금은 '다모클레스의 검'이 없으니 어니언 프레임을 격추할 수도 없어.

그대의 힘으로 루나에 있는 도시들을 구해주었으면 한다!!

난 이렇게
끝나지
않는다!!

이 혼란을
틈타서
일단 탈출한 후에
반드시
재기하겠어!!

이걸로 빚은 다 받은 걸로 하지.

카이룰라 생귀스
(빌마)

■ 다음 권으로 이어집니다.

2011년 3월 11일

동일본 대지진이 발생했다.

하지만 우리는 좌절하지 않는다.

다시 일어나자,
다시!

이번 대지진으로 피해를 입은 분들께 위로의 말씀을 드리며
돌아가신 분들의 명복을 빕니다.
또한 해외에서 응원해주신 분들께도 진심으로 감사의 말씀을 드립니다.

제 자택 겸 작업실이 이바라키현 쓰쿠바시에 있기 때문에 도호쿠만큼은 아니어도 진동이 꽤 있었습니다. 집의 외벽 일부가 파손되었지요.
작년에는 이런저런 문제를 겪고 슈에이샤에서 고단샤로 이적해, 잡지 『이브닝』에서 연재를 재개했습니다. 바로 그 시점에 일어난 대지진. 한때는 『이브닝』의 정상 발행도 낙관할 수 없을 정도였지만, 여러 관계자들의 노력에 힘입어 무사히 발행되었습니다. 또한 4월 8일에는 WEB 무료공개가 시작되었습니다. 약소하나마 『총몽 LO』의 연재가 재개된 첫 화인 101화(단행본 96화)의 원고료를 재해의연금으로 기부합니다.
이번 쓰나미의 상처가 너무나 깊었던데다 아직까지도 강력한 여진이 이어지고 있어 원전 사고가 어떻게 수습될지 전망이 불투명하지만, 모두 힘을 합쳐 일본을 재건합시다!!

2011년 4월 14일 기시로 유키토

※ WEB 무료공개는 현재 종료되었습니다.

스텔스병의 모든 것

es.474에 음바디가 설립한 'NEWORDER'에 소속된 병사를 흔히 '스텔스병'으로 부른다. NEWORDER는 LADDER직속부대로 LADDER조약에 따라 국경을 오가며 활동할 수 있다. 표준장비에 광학 스텔스 기능을 도입한 태양계 최초의 부대로, 사용하는 장비에는 최신 테크놀로지가 아낌없이 투입되어 있다.

서브머신건
기밀(機密) 건물 내부에서는 활동의 용이성과 안전성을 우선시해 탄환의 관통력이 억제된 서브머신건을 사용한다.

스텔스병 슈트
외장은 유연성이 있는 스마트 폴리머 소재로, 파워 서포트 기능과 함께 높은 운동성능을 발휘한다.

스텔스 기능
광학·전자·적외선·음향 스텔스 기능이 있다. 기밀성이 유지되어 우주에서 활동할 수 있다. 방사선·가스·세균 대응 성능이 우수하다.

궤도 엘리베이터를 레펠 하강하는 스텔스병.

롱 라이플
관통 성능이 뛰어나 고성능 사이보그에게도 충분히 대응할 수 있다.

장기간의 우주활동을 할 때는 백팩 등의 옵션을 장착한다.

가변 사이즈
처음 스텔스 슈트를 장착한 순간 장착자에 맞추어 사이즈가 변한다. 슈트는 자동적으로 장착자의 신장이나 체격에 맞는 크기로 변형되어 초기화될 때까지 그 상태가 유지된다.

이너 슈트
장착자는 타이츠와 비슷한 얇은 이너 슈트를 입는다. 이것은 센서의 집합체로, 장착자의 상태를 모니터해 데이터를 외각 슈트로 송신한다.

갈리처럼 몸집이 작아도 문제없이 장착할 수 있다.

특수장비①
음바디 직속부대인 HIGHORDER 중대장 차이크로우의 슈트. 마스크 디자인에 큰 차이가 있다.

우주활동용 스러스터

특수장비②
대테러 특수부대 405부대, NEWORDER 중에서도 정예부대로, 올림푸스 우주항 탈환작전을 여유롭게 성공시켰다.

활약
카이룰라에게 얻어맞고 젯카의 바이크에 치이고 갈리에게 걷어차이는 등의 화려한 전적을 자랑한다.

금성 낙시에게 잡아먹히는 스텔스병.

잡병열전 　　　　　최종화

작별이다, 친구여!!

드디어 끝난 ZOTT 결승전!! 한편 무대 뒤편에서는…

지금 즉시
음바디 국장을
체포하라!!

절대
무리야.

국장님을
체포…

두~~웅

까랑~

가면
확실하게
죽는다
고요!!

가시려고요,
대장님?!

자, 그럼…

가볼까.

철컥

우리가 당하지 않으면 누가 당한다는 거냐!!

대장님 ~!!

우리의 존재이유를 잊었나?!

멍청한 놈들!!

저흰 죽을 때도 한 팀 입니다, 대장님!!

우리한테 평범한 남자의 행복 따위가 무슨 소용이냐!!

저희 생각이 짧았습니다!!

이름 없는 영웅들에게 꽃다발을!!

귀환자 없음!!

스텔스병단 NG 제5소대,

YUKITO PRODUCTS
STAFF

기시로 유키토
기시로 쓰토무
기나리 에미야

옮긴이 주원일

일본어 번역가. 초등학생 시절 우연히 게임 잡지를 접하며 일본 서브컬처의 매력에 빠지게 되어,
현재는 만화와 소설, 게임 등 다양한 매체의 번역에 매진하고 있다.
주요 번역작으로 『피코피코 소년』『소녀불충분』『나는 친구가 적다』『에도산책』『중쇄를 찍자!』 등이 있다.

총몽 GUNNM Last Order 완전판 11

ⓒYukito Kishiro / Kodansha, Ltd.

초판 인쇄 2020년 10월 14일
초판 발행 2020년 10월 21일

만화 기시로 유키토
옮긴이 주원일

펴낸이 염현숙
책임편집 천강원
편집 김지애 이보은 김해인 │ 디자인 백주영
마케팅 정민호 정진아 함유지 김혜연 김수현
홍보 김희숙 김상만 지문희 김현지 │ 제작 강신은 김동욱 임현식

펴낸곳 ㈜문학동네
출판등록 1993년 10월 22일 제406-2003-000045호
주소 10881 경기도 파주시 회동길 210
전자우편 comics@munhak.com
대표전화 031-955-8888 │ 팩스 031-955-8855
문의전화 031-955-8862(마케팅) │ 031-955-8893(편집)

ISBN 978-89-546-7428-7   07830
       978-89-546-7205-4 (세트)

카페 cafe.naver.com/mundongcomics
페이스북 facebook.com/mundongcomics
트위터 @mundongcomics
인스타그램 @mundongcomics
북클럽 bookclubmunhak.com

www.munhak.com

잘못된 책은 구입한 서점에서 교환해드립니다.
기타 교환 문의 031-955-2661│031-955-3580